desmemória
thalita coelho

São Paulo, 2020

Copyright © Thalita Coelho

Todos os direitos reservados à Pólen Livros e protegidos pela Lei nº 9.610, de 19.02.1988. É proibida a reprodução total ou parcial sem a expressa anuência da editora.

Este livro foi revisado segundo o Novo Acordo Ortográfico da Língua Portuguesa de 1990, que entrou em vigor no Brasil em 2009.

DIREÇÃO EDITORIAL
Lizandra Magon de Almeida

COORDENAÇÃO EDITORIAL
Luana Balthazar

REVISÃO
Lindsay Viola

ILUSTRAÇÕES
Scarlath Louyse

CAPA
Daniel Mantovani

FOTO DA AUTORA
Fotógrafo: Vinícius Brites
Produção e maquiagem: Fernanda Almeida

Dados Internacionais de Catalogação na Publicação (CIP)
Angélica Ilacqua CRB-8/7057

Coelho, Thalita
  Desmemória / Thalita Coelho. -- São Paulo : Pólen, 2020.
  232 p.

  ISBN 978-65-87113-01-2
  1. Ficção brasileira I. Título

  20-1914   CDD B869.3

Índices para catálogo sistemático: 1. Ficção brasileira

www.polenlivros.com.br
www.facebook.com/polenlivros
@polenlivros
(11) 3062-7909

desmemória

thalita coelho

Para Sald, além de melhor amiga e esposa,
a melhor leitora deste livro.
Para Rafa, Thamiris, Maíra e Eva, pelo afeto
transformador e pela torcida constante.
Para aquelas que amam mulheres: uma história
sobre outra coisa, mas nós estamos lá.
Este livro é nosso.

Nunca foi sorte, sempre foi Exu.

parte 1
novelo

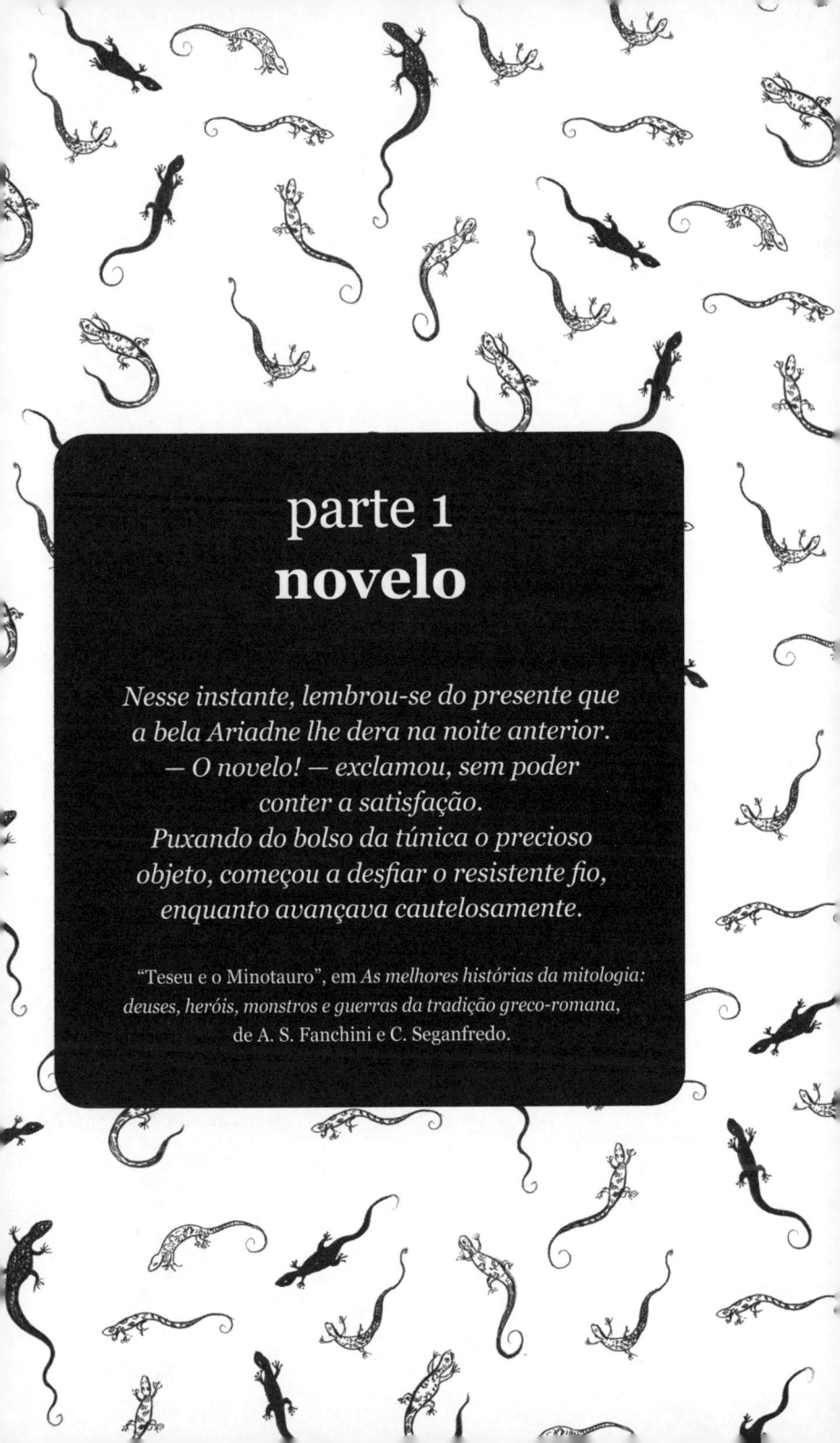

Nesse instante, lembrou-se do presente que a bela Ariadne lhe dera na noite anterior.
— O novelo! — exclamou, sem poder conter a satisfação.
Puxando do bolso da túnica o precioso objeto, começou a desfiar o resistente fio, enquanto avançava cautelosamente.

"Teseu e o Minotauro", em *As melhores histórias da mitologia: deuses, heróis, monstros e guerras da tradição greco-romana*, de A. S. Fanchini e C. Seganfredo.

1.

O mel da florada do café era nosso favorito. Meu e dela. Ana sempre gostou de doces e acabou se viciando num nível que chegava a tremer quando queria algo açucarado. Hoje pela manhã, eu trouxe um pão de casa e o mel na bolsa, mentindo para mim mesma que era um lanche individual, porque já estava mais do que exausta da comida do hospital, apesar de ser muito melhor do que o senso comum diz — assim como tantas coisas na vida, essa era mais uma sobre a qual o senso comum pouco sabia.

Repeti algumas vezes antes de sair de casa, como um mantra, que aquele pão de milho e o mel eram só meus. Contudo, fiquei esperando que fosse hoje o dia em que eu veria os olhos castanhos de Ana se abrirem sonolentos, como quem tira uma soneca à tarde e acorda arrependida. Ela fez isso tantas vezes.

Antes dela, eu nem sabia que existiam mais de trezentos tipos de mel. Para mim, mel era um só, vômito de abelha, delicioso. Foi ela quem me explicou, muito contente, das diferentes floradas em que a abelha poderia recolher o néctar das flores para fazer o mel, o que resultava em substâncias com sabor e cor diversificadas. Viramos *sommeliers* de mel: florada de laranjeira, silvestre (o mais comum), da restinga, mas o da florada de café era inegavelmente o melhor. Na primeira vez que comi fui imediatamente transportada pro momento em que, aos seis anos, saboreei um mel que minha avó ganhou do vizinho apicultor. Quando abri os olhos, depois de sentir na língua aquele sabor denso, Ana me olhava atenta, aquele rosto incrível com seus lábios grossos. Seu sorriso deixou tudo ainda mais doce.

A bem da verdade, sempre foi assim. Ela deixava tudo mais leve com seu jeito desastrado e cativante, uma dicotomia em forma de mulher — por vezes engraçada demais, outras tantas, misteriosa e inebriante. Nunca conheci outra pessoa assim.

Infelizmente, comi o pão com mel em silêncio, sem companhia, a não ser a da enfermeira que entrava de vez em quando no quarto para verificar como estava Ana. Sorri sem graça todas as vezes que ela entrou, eu com farelo de pão e mel pingado na blusa — nunca soube comer sem me sujar. E Ana sempre ria muito disso, esperava o momento em que isso aconteceria em todas as refeições que fazíamos juntas. Às vezes me mandava uma mensagem depois do almoço, quando estávamos longe: *E aí? Quer que eu te leve uma blusa limpa?* Eu que sempre odiei essa brincadeira inofensiva me lambuzaria inteira se isso a fizesse acordar.

Quando a enfermeira saiu pela terceira vez do quarto, sentei na cama ao lado dela. Olhos fechados, serena, parecia morta. E eu temia o tempo inteiro que ela realmente estivesse, por isso checava seu pulso com frequência. Sua pele negra estava pálida e sem brilho depois de meses aqui, nesse quarto ensolarado que jamais será tão ensolarado quanto nossa cama pela manhã.

Morávamos juntas há dois anos, ela sabia tudo sobre mim, e eu achava que sabia tudo sobre ela. Éramos cúmplices, companheiras, amigas e esposas. Acima de tudo, ela era o amor da minha vida, e eu nem acreditava em alma gêmea. Escolhi que ela fosse o amor para minha vida. Aceitei o sentimento quando ele surgiu, abracei com braços e pernas e deixei que meu corpo e meus órgãos se apaixonassem por ela e entendessem: ela estava ali para ficar.

Deitada sob aqueles lençóis brancos, seus cabelos estavam enormes. Ela odiaria cada segundo que seu cabelo passasse amarrado, sem cuidados, ela que dedicava tanto tempo às madeixas, usando cremes, arrumando o crespo que tanto tinha demorado para conquistar depois do *big chop*. Eu queria poder arrumar cada fio do cabelo dela, queria arrumar tudo e não podia. Nada daquilo fazia sentido. Os médicos não entendiam como ela estava naquele estado. Uma mulher forte, saudável, trinta anos, sem qualquer doença. Ela simplesmente entrou em coma e assim está há cinco meses. Seu estado é estável, não corre riscos. Mas nada indica que ela vá voltar. E ninguém sabe o porquê.

A não ser eu. Eu sei o motivo. Ana entrou em coma por minha causa.

2.

Meu nome é Victória, mas eu sempre preferi Vic, ainda que este C só seja pronunciado no apelido. Sou uma mulher comum, apesar de fugir de algumas normas e padrões esperados pela sociedade. Por exemplo, eu sou lésbica e, ainda que isso tenha me levado a situações desagradáveis no dia a dia, nem de longe é o que faz de mim uma pessoa realmente diferente.

A primeira memória que carrego comigo é uma cena em que golpeio minha barriga de grávida comigo mesma dentro. As lembranças que tenho na minha mente são de minha mãe, ainda que também me pertençam. Minha mãe e eu somos iguais. Ou éramos. Ela morreu logo após o parto, já debilitada demais para sobreviver. Durante a gravidez, desde o momento em que passei a possuir um sistema nervoso e deixei de ser um amontoado de células, suguei sua vida quase que literalmente. Ela tentou pôr um fim à gestação, mas já era muito tarde, eu a impedia sempre que a ideia ameaçava se tornar realidade. A primeira frase que ela proferiu quando eu nasci, logo após o parto, foi uma súplica para que eu não roubasse sua vida. Esse poder, porém, eu não tinha. Suguei as memórias dela até que ela desmaiasse e fosse aos poucos definhando, até dar seu último suspiro. Absorvi sua última memória: a do meu nascimento.

Minhas memórias e as de minha mãe se confundem constantemente, não sei direito onde eu começo e onde ela termina. Com certeza ela é a pessoa que mais tenho dentro de mim, a que mais absorvi. Foram nove meses de convívio direto, físico, eu estava *dentro* dela. Os psicanalistas se divertem comigo em seus divãs. Aliás, eu já testei e realmente a reação das pessoas é impagável. Uma pena que tive de absorver a memória de todos os terapeutas que frequentei quando já não aguentava mais guardar minha existência para mim mesma.

Desde que me conheço por gente sou assim e, por muito tempo, achei que as outras pessoas também fossem. Quando não sabia diferenciar o que era meu e o que eram as lembranças de minha mãe, ainda muito criança, eu conversava com meus amigos na escola como se eles também passassem por aquilo que eu passava todo dia. Mas não eram eles que estavam na sala de aula, observando atentamente a professora Olívia ensinar a contar palitinhos e, do nada, a faziam perder a cor, cambalear e se sentar na cadeira, branca como o giz no quadro. Não eram eles que, automaticamente, começavam a rir da visão daquela mulher dançando na sala de casa, com seu cachorro no colo, e comentar em voz alta "Que cachorro lindo!". Nunca tive amigos nas turmas em que estudei, acho que ser uma órfã que comenta coisas inapropriadas enquanto a professora passa mal não colaborava muito para aumentar minha popularidade.

Na adolescência, tentei parar de absorver memórias e descobri duas grandes aliadas: a música e a leitura. Atividades que podem ser muito solitárias: era disso que eu precisava. Passei a ouvir muita música, de preferência em fones de ouvido, também lia muito, e sempre fazia as duas coisas concomitantemente. Claro que eu gosto de fazer isso, mas é mais por necessidade do que apenas por prazer. Após essa descoberta, passei meses sem me alimentar de memórias, tentando me convencer de que a comida comum era suficiente para que eu sobrevivesse. Mas não era. Perdi muito peso e passei muito perto da morte. Fui diagnosticada com anorexia e, embora não fosse bem esse o problema, não deixou de ser verdade. Depois desse episódio, aprendi a dosar e a escolher melhor os momentos e as pessoas que seriam minha fonte de sobrevivência. E minha descoberta sobre música e leitura muito me ajudou e tem me ajudado ainda hoje, dezesseis anos depois.

Se entro num lugar lotado, com muitas pessoas, cada uma delas com sua personalidade, saúde, humor, tudo isso acaba influenciando minha capacidade de absorver memórias. Alguém doente, triste, estressado ou nervoso é um prato cheio pra mim (desculpe o trocadilho). Qualquer tipo de vulnerabilidade facilita a absorção. Quando entro num ambiente desses é difícil não sugar a memória das pessoas mais fracas, acaba acontecendo muito rápido, quase sem que eu perceba. É como se alguém andasse atrás de mim, me alimentando o tempo todo, sem que eu me dê conta, até que me sinta extremamente cheia e enjoada. Ainda não compreendi como tenho sobrevivido a estes cinco meses num hospital. Quase nunca tiro meus fones, a não ser quando estou em ambientes mais vazios ou quando eu, propositalmente, vou me alimentar.

É por isso que estou sempre de fones de ouvido quando ando na rua. Em lugares muito cheios, ouço música e leio, para garantir que minha atenção fique totalmente voltada a coisas que não tenham memórias. Às vezes posso parecer mal-educada por isso: quando as pessoas me pedem informações, eu aponto pros fones e sigo em frente. Quando a garçonete me pergunta o que quero comer, eu respondo (provavelmente grito, por conta dos fones) e ela se afasta revirando os olhos.

Não pense que eu não me sinto mal, me sinto um monstro às vezes, principalmente quando exagero na quantidade de absorção e a pessoa fica tonta, pálida e desnorteada. Ou quando absorvo memórias tão recentes que minha vítima se esquece de onde está, do que está fazendo ou de algo que acabou de acontecer. Mas eu nunca tinha causado nenhum dano grave a alguém, no máximo um desmaio.

Até aquela noite em que Ana e eu comemoramos dois anos de casamento. Aí eu perdi a mão.

3.

Acho injusto que as outras pessoas tenham a chance de evoluir seus espíritos em outras vidas e eu esteja aqui, parada, presa a este mundo. Sei que sempre há a opção de parar de me alimentar, ou de pular de um prédio. Não é que eu deseje não existir mais ou encontre nesta vida uma dor excruciante que me obrigue a procurar alternativas para sair dela. Eu só gostaria de ter a sensação de que vivo um ciclo, de que há um propósito, um porquê, uma tentativa. Do contrário, me sinto num labirinto sem saída. Há relatos e relatos de que sempre voltamos às mesmas situações para resolver o que precisamos. Se for voltar a viver o que vivi muito jovem, prefiro continuar adulta. Eu ainda sou jovem, mesmo para alguém que não seja como eu. Mas a ânsia do futuro me persegue e me vejo cada vez mais presa a este corpo, a estes pensamentos, a este cérebro.

Depois de cinco meses encarcerada neste hospital, me alimentando de doentes e parentes profundamente tristes, meu ânimo estava baixo e eu entrava lentamente em depressão. A única coisa no caminho entre mim e o alto de um prédio era Ana. Ela estava ali por minha causa. Eu tinha de lidar com isso. Não fazia ideia de como.

Todos os dias, desde que percebi *o que* eu era, aos treze anos, tenho me perguntado se tenho, de fato, alguma função no mundo. Digo, nunca fui religiosa, apesar de ter crescido num lar católico, mas sempre acreditei em forças e energias superiores, num propósito, num objetivo, numa evolução. Que tipo de evolução eu podia ter? Eu sequer sabia se era humana de fato. Percebi, com a progressão do tempo, que eu era mais resistente a doenças e machucados, alguns eu mesma me infligi em busca de algo que pudesse me afetar, em busca de controle. Foram os piores anos da minha vida, ninguém deveria buscar controle pela dor. Com a ajuda de amigas, de terapia e da minha falecida tia, única parente com quem tive contato, consegui buscar caminhos melhores do que a automutilação. Por minha resistência a ferimentos, eu me machucava com muita frequência, já que a cicatrização era incrivelmente rápida. Em duas horas um corte se fechava e ficava na minha pele apenas a marca branca. Cada um daqueles riscos pálidos na minha coxa me lembrava do ser estranho e sozinho que eu era. Hoje, essas marcas me lembram do meu caminho e de onde eu jamais deveria andar novamente.

Gripe? Nunca peguei. Tenho ocasionais dores que duram meia hora, no máximo. Eu só fico realmente doente quando não absorvo memórias. Aí as forças se vão, fico mais pálida do que o normal, fraca e sem imunidade. Mas depois da minha adolescência e dos problemas causados pela falta de alimentação, eu nunca mais deixei de absorver. Ou quase nunca. O que importa é que eu nunca quis morrer. Só queria entender quem eu era. Contudo, ainda hoje, aos trinta anos, não sei quem sou, nem se sou humana, uma mutação genética, se sou a única no mundo ou quanto tempo vou viver.

Sempre fui sozinha, vivi enfiada com a cabeça nos livros, só tinha como companhia minha tia Pan e, além dela, vivi praticamente sem relações estreitas com ninguém. Eu saía, ficava com mulheres, mas fugia de relacionamentos sérios, nenhum dos meus casinhos mais intensos terminou bem, então eu mantinha uma distância segura para não machucar ninguém. Tudo mudou quando Ana entrou na livraria em que eu trabalhava à época. Não deu para fugir.

4.

Dos dezesseis aos vinte e três anos, trabalhei no pequeno sebo da minha tia Pan, chamado Caixa de Pandora. Minha tia sempre amou brincadeiras e não resistiu a essa quando abriu aquele canto minúsculo e mágico, anexo à casa que ela e eu chamávamos de lar. Além de ser uma piada incrível com seu nome, ela ainda fazia referência à mitologia greco-romana e à metáfora da caixa que, na verdade, era a boceta, a grande guardiã de todos os males do mundo, e que jamais deveria ser "aberta".

Pan era uma feminista declarada e sempre conversávamos sobre as ideias machistas que se perpetuaram na história. Era uma livraria que trabalhava com novos e seminovos e se resumia a um quarto grande, um dos antigos quartos de hóspedes da nossa casa. Ajudei tia Pan a pintar as paredes de um tom amarelo, montei estantes e carreguei livros. Nós nos dividíamos em turnos de trabalho e era daquele jeito que sobrevivíamos — e com a herança deixada por meus avós à minha mãe e à minha tia. Eu fui feliz por sete anos, trabalhando todo dia naquele lugar em que eu encontrava conforto e alimento — já que com a visita dos clientes eu sempre tinha uma opção diversificada para absorver. Não gostava de me alimentar sempre da mesma pessoa porque isso poderia causar lapsos mentais, logo, minha tia nunca foi uma opção. Com exceção de quando era muito pequena e não entendia direito o que fazia, jamais me alimentei de tia Pan. Ela jamais soube sobre mim ou sobre minha mãe, e era minha melhor amiga. Quando eu tinha vinte e um anos Tia Pan adoeceu.

Ironicamente, começou a ficar esquecida, debilitada, e logo foi diagnosticada com Alzheimer. Eu chorava todos os dias com medo de que fosse minha culpa, mesmo sabendo que eu não me alimentava dela. Com o tempo aceitei que aquela era uma piada do destino — de muito mau gosto.

Desde a morte da minha mãe, no parto, tia Pan me criou como se fosse filha dela. Ela, que não tinha filhos biologicamente seus, constantemente me fazia esquecer de que ela não era, de fato, minha mãe. Para mim, tia e mãe eram a mesma coisa e eu não saberia dizer a diferença. Ainda não sei.

5.

Eu lia *A teus pés*, de Ana Cristina Cesar, quando levantei meus olhos da página para ver Ana pela primeira vez. Estivera absorta nos versos e confusa com vários deles e, por isso, minha cliente já estava há um tempo andando pela livraria, reconhecendo o terreno. Fiquei um pouco nervosa, como sempre ficava toda vez que via uma mulher bonita, mas respirei fundo:

— Oi, se precisar de alguma coisa pode me chamar!

Ela levou um susto e deu um pulinho discreto. Talvez não tivesse me visto atrás do balcão, eu não era muito grande e sempre me encolhia, detestava chamar atenção. Quando Ana se virou para me olhar, percebi nela o mesmo reconhecimento que eu tinha sempre que via uma lésbica. Ela sorriu e agradeceu, disse que estava dando uma olhada, e eu voltei a me sentar, com o coração acelerado. Abri meu livro e fingi que lia, mas na verdade só estava olhando fixamente pro mesmo verso há cinco minutos, enquanto inspirava e expirava: "Te apresento a mulher mais discreta do mundo: essa que não tem nenhum segredo". Com certeza não era eu.

Ela passou trinta e dois minutos olhando estantes, pegando exemplares, folheando e espirrando ocasionalmente — tinha muita rinite, como eu viria a saber depois. Eu sei exatamente o tempo porque cronometrei no relógio quanto tempo eu estava suando frio por causa daquela mulher. Isso raramente acontecia, eu me interessava pelas pessoas, mas me fazer suar as mãos poucas faziam.

Ela colocou no balcão um exemplar surrado de *Capitães da areia*, de Jorge Amado. Naquele ano o livro iria cair no vestibular, me perguntei se ela estava comprando por isso. Se fosse, ela deveria estar trocando de faculdade ou então deixou para escolher mais velha o curso, já que ela parecia ter mais ou menos a minha idade. De qualquer forma, com certeza não tinha dezessete anos. Se tivesse eu me sentiria culpada pelo resto da vida por ter tremido as pernas para uma menina tão nova. Ela parecia ter adivinhado o que eu estava pensando:

— Vestibular, de novo. — E sorriu, acalmando meu coração.

— Para qual curso?

— Vou tentar fotografia desta vez. Saí do Direito. — E fez uma careta quando pronunciou o nome da antiga faculdade.

— Que demais... — E começou o silêncio constrangedor. Enquanto eu pegava o troco, ela espiou o livro que eu lia.

— Tem outro exemplar desse?

— Ah, não, tá em falta. Mas você pode levar o meu emprestado. Eu tava relendo, não tem problema parar agora. Você me devolve quando voltar aqui de novo.

Jamais vou entender o que foi que me deu para soltar isso. Eu não era tímida com mulheres e flertava sempre que possível, porém aquela proposta era uma declaração descarada.

— Brigada — ela respondeu, enquanto sorria um pouco envergonhada. Ou muito. Enquanto colocava os livros na mochila azul, eu me apresentei e perguntei o nome dela.

— Eu sou xará da poeta. Prazer.

6.

Trabalhar na Caixa era fácil e divertido. Mas depois que Ana entrou ali pela primeira vez, ficou difícil e tenso. Eu não conseguia esconder meu interesse por ela e estava o tempo todo me concentrando para não deixar transparecer meu nervoso. Estava também, constantemente, me esforçando para não absorver nenhuma memória dela. Ela começou a aparecer dia sim, dia não. Sempre no horário em que eu trabalhava. Alguns dias trazia brownie e dividia comigo, um dia trouxe um só para mim. Nesse ponto, já conversávamos sobre a vida e minhas mãos a cada dia suavam menos, apesar de minhas pernas continuarem a tremer quando ela vinha me abraçar para se despedir. Fazia duas semanas que nos víamos com frequência quando ela me entregou o livro de volta. Disse que amou, apesar de nunca ter gostado tanto de poesia. Falou tudo muito rápido e não me deixou perguntar nenhuma peculiaridade, logo foi para casa, apressada. Na hora não entendi nada e minha autoestima terrível começou a me dizer que eu tinha entendido tudo errado e estava deixando Ana desconfortável.

Enquanto tirava o pó das prateleiras, eu repassava mentalmente aqueles dias em que havíamos nos visto, me perguntando em que momento eu tinha estragado tudo. Tia Pan entrou na livraria para trocar o turno comigo bem no meio das paranoias e eu fui pra casa, *A teus pés* embaixo do braço e pensando se Ana voltaria.

Dois dias se passaram e nem sinal dela, eu tive certeza de que, mais uma vez, tinha colocado o carro na frente dos bois.

À noite, antes de dormir, peguei o livro emprestado para me consolar e ler alguns poemas favoritos, esperava encontrar entre as páginas qualquer resquício do perfume dela. Ao abrir o livro e ler fora de ordem os poemas, percebi um número do lado de um dos versos, a lápis: 7.

Lerda feito tartaruga, fiquei olhando aquele número e esperando que ele sozinho possuísse algum significado mágico. Então me perguntei se eu é que tinha escrito, o que parecia extremamente improvável, já que eu não tinha o costume de escrever em livros. Depois, a ficha caiu e folheei página por página buscando mais números, e encontrei versos marcados de 1 a 9. Escrevi todos numa folha, em ordem crescente e eles me diziam isso:

uma informação difícil.
Muito sentimental.
Sonhei outra vez com a mesma coisa.
Nem te conheço
Estou tocada pelo fogo
Tesão do talvez
Água na boca
Vamos tomar chá das cinco e eu te conto minha grande história passional, que guardei a sete chaves
Agora é sua vez

Na última página, um número de celular. Mandei mensagem correndo, dois dias atrasada: *A teus pés, Ana.*

7.

No quarto de hospital, a luz nublada de domingo entrava tímida pelas frestas da persiana bege. Mais um dia esperando que Ana se levantasse e falasse que era hora de cortar meu cabelo, já grande e disforme. Os cachinhos das pontas estavam coçando minha testa. Eu detestava quando chegava a esse comprimento.

Quando conheci Ana, meu cabelo era comprido até mais ou menos a cintura. Nunca estava solto, vivia preso num coque no alto da cabeça ou num rabo de cavalo, mas eu nunca cortei porque achava que tinha o rosto redondo demais. O que é mais uma grande bobagem do senso comum. Lembro até hoje o dia em que cortei pela primeira vez, muito curto, num estilo de corte que o mundo chama de Joãozinho — nome que eu odeio. Passei a chamar de Mariazinha.

Estava ensaiando meter a tesoura já havia um mês, Ana não aguentava mais me ver procurando referências de corte sem fazer nada a respeito, estava ficando impaciente comigo. Eu sempre fui assim, procrastinava até cansar a própria procrastinação, e mesmo algo que eu desejava muito acabava sendo adiado, porque eu temia que desse tudo errado. Nunca confiei nos meus instintos. Talvez por isso, naquela tarde de domingo, como esta em que estamos hoje no hospital — a Bela Adormecida em sono profundo, eu com saudade gigante — Ana apareceu em casa com uma tesoura, um lençol velho e um espelho redondo lindo — que até hoje está pendurado em nosso quarto.

Ela, não sei como, possuía talentos variados e numerosos. Nunca entendi como podia cozinhar, fotografar, fazer conta e cortar cabelo, tudo de maneira incrível. Ela picotou meu cabelo gigante, aparou e arrumou até fazer meu primeiro corte Mariazinha. Eu sentia o vento na nuca e o arrepio que me corria a pele, meu rosto redondo em nada atrapalhou o corte. Meus olhos pareciam mais visíveis. Eu me sentia eu de verdade.

Ana tirou o lençol velho e veio devagar remover os cabelinhos grudados no meu pescoço. Não era verão, mas, em se tratando de Brasil, um dia de outono é quente. Os fiapos se negavam a sair da minha pele e coçavam insistentemente. Só um banho os tiraria de mim. Antes que eu pudesse desviar de Ana e ir em direção ao banheiro, me perdi nos olhos amendoados dela. Ela me olhava fundo como quem espera que minhas pupilas contem um segredo. Depois, seus olhos se moveram novamente pro meu pescoço e ela aproximou a boca, soprou de leve, como se a brisa dos seus lábios pudesse tirar os teimosos cabelos da minha pele.

Em meio à boca de Ana e seu corpo que me apertava, esqueci da coceira rapidamente e tive de me recompor e fugir. Um mês e meio juntas e ainda não havíamos transado, e a culpa era minha. Não que eu não quisesse. Aliás, eu queria muito, mas tinha medo de perder o controle e absorver uma memória que fosse. Eu jamais me perdoaria. Eu precisava de mais tempo para me concentrar e me acostumar com o calor que ela me causava. Estávamos indo devagar, uma coisa de cada vez, o que não era nada fácil para mim. Muito menos para ela, que não sabia o motivo de eu estar fazendo aquele suspense. Até aquele momento ela estava sendo paciente e compreensiva, apesar de sua cara confusa toda vez que eu fugia no meio dos amassos.

Nesse dia não consegui fugir por muito tempo. Entrei no banho ofegante, o coração na boca, ela se esgueirou para dentro do chuveiro.

— O que você tá fazendo aqui?

— Tomando banho, ué.

Uma das maiores habilidades de Ana é ser extremamente cínica e permanecer totalmente atraente enquanto isso. Não houve jeito de resistir e naquele ponto eu nem queria mais. A notícia boa é que não arranquei nada de Ana naquela noite além de gemidos.

8.

As enfermeiras já sabem que eu praticamente moro no quarto com Ana. Por isso nem reclamam mais da meia dúzia de livros, de algumas flores, das nossas fotos com nossa gata Amora. Faz uma semana que eu não vejo Amora, a essa altura ela deve já ter se esquecido de nós e deve estar pensando que a vizinha que cuida dela é sua dona de verdade. Ainda assim, estava lá, em várias fotos que eu trouxe de casa no intuito de fingir que aquele não era um quarto triste de hospital. Não sabia quando sairíamos dali. Não sabia se sairíamos dali.

Tenho estado muito fraca, pois venho me alimentando das memórias de pessoas extremamente doentes ou tristes, e não gosto de absorver muito, já que isso as debilitaria ainda mais. Aqueles flashes de lembranças não eram o suficiente para me manter de pé e eu estava perdendo peso rapidamente, além de ter adquirido olheiras profundas. Ana, se me visse assim, teria pedido uma pizza para que eu pudesse me alimentar do entregador. Que alívio era ter o apoio dela e não ter de viver para sempre fingindo não ser algo que, infelizmente, sou. Ainda que eu não soubesse que *algo* era esse.

Demorei um ano e meio para contar a ela toda a verdade sobre mim, e isso só aconteceu por causa da morte de tia Pan. Quando ela se foi, passei meses chorando e me negando a me alimentar de memórias, me culpando pelo que aconteceu. Estava decidida a nunca mais absorver nada e só não fui até o fim porque Ana não deixou. Seu olhar desesperado e confuso me fez abrir a boca e contar para ela todas as minhas angústias. Foi dolorido e confuso, mas uma das melhores coisas que já fiz na vida. Agora, eu observava em silêncio a única pessoa que sabia tudo sobre mim, sem segredos. Desejei ser eu a pessoa em coma. Teria facilitado tudo.

No começo eu só observava apavorada as enfermeiras cuidando de Ana, aos poucos comecei a ajudá-las a trocá-la de posição e a dar banho. Nunca me imaginei fazendo isso tão cedo. Por sorte, eu tinha alguma experiência dos dois anos em que Pan esteve doente. Depois do primeiro mês no hospital, quis me certificar de que cuidaria dela, como ela cuidava de mim, como sempre fizemos. A intimidade que tínhamos era absurda e jamais acreditei que um dia pudesse construir isso com outra pessoa. Esse tipo de conexão é raro. Ainda bem que eu sabia disso.

Eu me perguntava, constantemente, se Ana ouvia ou sentia algo ou se estava completamente alheia aos acontecimentos ao seu redor. De alguma forma eu queria que ela pudesse sentir, nem que fosse o toque da minha mão virando seu corpo de lado, ou a textura da esponja úmida que limpava sua pele antes negra, agora acinzentada. Queria que ela escutasse a ladainha que eu contava sobre as peripécias de Amora ou a leitura que eu fazia de seus poemas favoritos. Não queria tanto que ela pudesse ouvir meu choro quase inaudível, que me entregava apenas pelas fungadas, também não queria que ela pudesse escutar o que os médicos diziam. *Não sabemos se o quadro se reverterá. Não há garantias.*

Li muitas histórias de pacientes que saíram do coma de maneira quase mágica e depois disso tentei de tudo. Continuava tentando. O último caso que li foi o de um homem que saiu do coma quando sua esposa colocou para tocar uma música que ele costumava ouvir na adolescência. Resolvi fazer uma playlist com todas as músicas que eu sabia que significavam algo para Ana, muitas delas significavam algo para mim também. Hoje o banho de esponja vai ser ao som de Maria Bethânia e Adriana Calcanhoto. *Depois de ter você.*

9.

Contrariando todos os clichês lésbicos, Ana e eu namoramos por cinco anos antes de sequer pensarmos em morar juntas. Não vou negar que durante esses anos deixamos peças de roupa, escovas de dente e sapatos na casa uma da outra, e que às vezes eu tinha impressão de que ela tinha deixado todas as suas calças na minha casa, mas dividir espaço e contas só depois de cinco anos mesmo. Muito foi por minha causa, eu temia estar perto dela o tempo todo, pois isso facilitaria um deslize e, ainda que tenha sido quase impossível resistir, conseguimos manter o namoro em casas separadas durante muito tempo. Nossos trabalhos e estudos também ajudaram nesse processo, ambas éramos extremamente dedicadas e queríamos dar atenção aos nossos afazeres: Ana se dedicava à nova faculdade, eu cuidava da Caixa de Pandora.

Aos poucos fomos unindo nossos trabalhos e fazer exposições das fotos dela virou tradição na Caixa. Pelo menos duas vezes ao ano as pessoas podiam entrar, tomar um café, comprar livros e observar meu corpo nu de vários ângulos diferentes — parecia que Ana era viciada em fotografar cada poro, pelo ou sinal do meu corpo. No começo eu morria de vergonha, e se alguém ousava suspeitar a identidade da modelo eu logo enrubescia e fugia para dentro de casa, deixando Ana a explicar as técnicas utilizadas naquele ensaio.

Fazer aquelas exposições era uma forma de exaltar Ana enquanto profissional e artista, de divulgar seu trabalho, mas também de louvar memórias de nós. Nosso primeiro beijo foi numa exposição de fotografia, lá atrás, quando Ana ainda não havia nem entrado na faculdade e ainda lia *Capitães da areia* para fazer o vestibular. Depois da resolução da charada que ela tinha me preparado com o livro de Ana C., mandei mensagem e resolvemos que nos encontraríamos longe da livraria, para variar.

Em meio a fotografias saturadas e quentes nas paredes, eu vi Ana caminhar atenta enquanto fazia expressões que eu ainda não sabia ler e que me deixavam cada vez mais intrigada. Os tons terrosos de sua roupa dançavam no meio da galeria de arte, desejei ser eu a fotógrafa que eternizaria a presença dela ali. Se eu tivesse que me lembrar qual era a exposição que visitamos, não saberia dizer. E não porque eu não tenha observado, passei um bom tempo — talvez até demais — atenta aos detalhes das fotografias, mas meu peito acelerava e as imagens que meus olhos viam jamais viraram memórias de longo prazo. Contudo, lembro o ritmo dos passos dela caminhando na exposição. Posso batucar com os dedos se quiser.

— É esse tipo de foto que você gosta de fazer? — Me vi perguntando, a fim de quebrar meu silêncio contemplativo.

O rosto de Ana modificou-se como quem pensa numa resposta complexa, permaneceu assim por um minuto, pensando e se aproximando de mim. Por fim, paramos as duas bem no meio do salão, olhando as fotos que pendiam do teto penduradas por fios de náilon invisíveis.

— Não sei.

Rimos as duas. Eu esperava algo bem mais elaborado, acho que ela também.

— Eu ainda preciso me encontrar dentro disso tudo. Tenho algumas preferências, gosto de fotografar cenas cotidianas. Acho incrível transformar algo que parece tão simples numa imagem inalcançável. Quero ter esse poder.

— Eu acho que alguns livros têm essa capacidade. Usar palavras que sozinhas são banais, mas juntas constroem um conjunto único.

— Como faz Ana Cristina Cesar. — Ela sorriu. Tinha tocado no assunto finalmente. Eu não tive coragem suficiente para responder em sons, então só sorri e assenti.

Nesse ponto estávamos as duas no meio das fotos levitantes. O rosto de Ana estava encoberto pela metade atrás de uma foto que continha um pássaro voando. É a única foto de que me lembro daquele dia. Talvez porque por alguns segundos ela fez parte de Ana.

— Você disse que não gostava muito de poesia.

— Verdade. Acho que não gostava porque sempre achei que poesia significava arrogância, palavras difíceis, metáforas inalcançáveis. *A teus pés* é diferente. É sentimento.

— Para mim poesia é isso, despertar coisas que a gente não sabia que sentia ou negava.

Não teve declamação de poema. Nem declaração explícita. Só essa conversa. Depois mindinhos que abriram o caminho pro resto dos dedos se entrelaçarem. E aí um beijo manso e lento que bem podia ter sido fotografado.

10.

Tia Pan era uma mulher escandalosa, leonina que só, sempre falou alto, desde que me conheço por gente. Não tenho uma lembrança dela sussurrando. Era um contraste e tanto comigo, que costumava tentar passar despercebida sempre que possível. Mas, nos assuntos do coração, ela sempre foi muito discreta, só conheci uma de suas namoradas e nem durou muito tempo. Uma vez ela passou na Caixa durante um dos meus turnos procurando por Pan, que veio alvoroçada e nervosa, claramente desconfortável que eu estivesse conhecendo a moça. Outra vez, já mais velha, cheguei em casa mais cedo do acampamento a que havia ido com amigas e peguei um homem saindo do portão de casa, muito envergonhado. Ele balbuciou duas ou três palavras em cumprimento, o que me bastou para fazer graça com Pan por mais ou menos um mês.

Minha tia evitava misturar nossa família com suas incursões amorosas, e eu respeitava, apesar de ficar um pouco nervosa e culpada, como se ela não tivesse liberdade de viver. Foi assim até o fim, jamais tive contato direto com algum de seus amores. Espero, no entanto, que ela tenha sido feliz, o máximo possível para nós, humanos, no que concerne ao amor.

Mesmo sem conhecer os detalhes, sempre soube que ela namorava mulheres e homens, quase sempre mulheres. Ela dizia que era mais fácil encontrar mulheres apaixonantes. Eu não tenho como discordar. Por esse motivo, ser lésbica nunca foi um tabu para mim, pelo menos não dentro de casa. As coisas mudaram um pouco quando percebi que fora do portão as coisas não seriam iguais, mas de qualquer forma nossa casa era um refúgio. Sempre contei a Pan de minhas paixonites na escola, ela sempre foi muito aberta e comprou muita briga por mim, nunca quis que eu me escondesse. Tive esse exemplo de mulher incrível em casa. Que falta me faz Pandora nesta altura da vida.

Quando ela se foi, Ana e eu já namorávamos há quase um ano e meio. E se não fosse esse apoio, provavelmente eu não estaria aqui hoje. Ela acompanhou toda a pior fase da doença de minha tia, ajudou muito, cuidou de mim e dela. O mínimo que posso fazer agora é retribuir e rezar para que ela volte logo pro meu lado.

Quanto à relação de Pan e Ana, as duas eram simpáticas e amigáveis, mas minha tia dizia que era cedo para me apegar e sempre me aconselhava a ficar solteira, embora frisasse que não tinha nada a ver com Ana. Sempre desconversava dizendo que se eu fosse tão linda quanto ela estaria solteira, ela ria solto e esquecíamos o assunto pesado. Infelizmente, minha mulher não teve a honra de conhecer Pan nos seus anos áureos, quando ela dava festas em casa, fazia jantares, promovia círculos de leitura, contagiava a todos no ambiente, quando ela tinha aquele cabelo curto e grisalho que eu sempre almejei. Ainda almejo. Quem sabe daqui uns anos eu fique muito parecida com ela. Ou com minha mãe. As duas se pareciam muito e eu, ao que tudo indica, sou uma cópia delas.

Minha tia falava pouco sobre minha mãe. O único dia do ano em que ela soltava alguma informação era no meu aniversário. 29 de dezembro. Esse dia não ficou marcado para mim como o dia em que me cantavam parabéns ou em que eu ganhava presentes, mas como o dia do ano oficial em que eu recebia alguma novidade sobre minha mãe. Foram algumas informações durante os 23 anos em que convivi com tia

Pan. Sabia que se chamava Paola, mas isso eu podia ter descoberto na certidão de nascimento. *Mãe: Paola Matos. Pai: desconhecido.* Era taurina. Namorava muito e tinha muitos parceiros. Era jornalista. Gostava de goiabada — essa descobri quando ganhei, aos 12 anos, um bolo de aniversário Romeu e Julieta e fiz cara feia: *Ah, pois Paola iria amar —* era forte, grande e linda. Engravidou por acidente. Tinha decidido me ter, mesmo sozinha. Essas informações todas escaparam dos lábios de Pan enquanto comíamos bolo de aniversário, ela e eu escoradas no balcão americano da cozinha, a mesa sempre cheia de plantas e contas, sem espaço para sentar. Dia 29 de dezembro era meu dia favorito do ano e eu quase nunca lembrava que era meu aniversário.

Algumas memórias dentro de mim eram da minha mãe, mas eu não sabia diferenciar todas, algumas pensava que tinham sido invenções da minha imaginação e outras tantas eu assumia simplesmente como minhas. Algumas eu sabia que não podiam me pertencer, por exemplo, eu tenho lembranças de beijar homens e sentir a barba cerrada no meu rosto. Nunca fiquei com homens, apenas beijei meninos quando era mais nova, e foram pouquíssimos. Sabia que essas reminiscências eram dela. Era a única que eu tinha absorvido tanto a ponto de confundir as coisas. Paola sempre foi uma incógnita, ainda que estivesse dentro de mim tão fortemente. Por isso eu amava receber informações de alguém que conviveu com ela e a amou profundamente. Apesar de saber muito sobre ela, Pan não tinha algumas informações que eu tinha: ela era como eu, e ela tentou me abortar algumas vezes quando percebeu que a gravidez a estava matando. Era tarde demais. Eu fui lentamente absorvendo suas memórias, devagar, cada dia um pouco mais, até o ponto de fazê-la esquecer onde estava. Os últimos meses de gravidez ela passou sedada.

Após a morte de Pan, as histórias sobre Paola pararam de chegar e meu aniversário passou a ser apenas meu aniversário. Contudo, criamos uma tradição de sempre comer um bolo Romeu e Julieta. Depois de um tempo aprendi a gostar. Ou quem sabe acessei as memórias emocionais de minha mãe. De qualquer forma, sentir o sabor da goiabada na língua sempre me remetia a ela e eu deixava vir qualquer lembrança que brotasse na mente. Um resgate emocional pelas papilas gustativas.

Hoje é 29 de dezembro. Completei trinta anos, finalmente. Fazia seis meses que Ana estava em coma. Comi o bolo Romeu e Julieta sozinha enquanto lia *Julieta e Julieta*, me veio a memória da descoberta da gravidez, me senti desesperada. Guardei o bolo, fui dormir antes da meia-noite abraçada à Amora.

11.

Amora sempre foi a gata mais linda do mundo — embora todo mundo diga isso sobre seu próprio gato. Grande, laranja, com uma quantidade imensa de pelos ao redor do pescoço, praticamente formando uma juba. Ela me olhava fixamente com seus olhos amarelos como quem tenta engatar uma conversa telepática. Eu sabia que era capaz de absorver suas memórias se quisesse, às vezes ficava tentada a fazê-lo para conhecer mais sobre a mente dela, mas a ideia de fazer qualquer mal a um bichinho me deixava extremamente nervosa. Sou vegetariana, não faria sentido absorver memórias de animais. Nunca consegui, prefiro continuar nem tentando.

 Eu tenho por aquela gata um amor sem tamanho. Ela está comigo desde a morte de Pan, e se tornou a companheira ideal, silenciosa, independente e afetuosa. Ela supriu um pequeno espaço da falta gigante que minha tia fazia dentro daquela casa. Quando Pan se foi, herdei tudo: casa, economias e a Caixa. A herança não era muito grande, mas era o suficiente para viver tranquilamente e pagar o hospital que cuidava de Ana. Meus maiores bens eram aquelas paredes que foram minha casa desde a infância até o casamento, que guardavam uma parte enorme de mim, apesar de não ser uma casa enorme. Dois quartos, o terceiro transformado na livraria, uma cozinha grande — porque Pan sempre havia amado cozinhar, e eu também —, uma sala mais larga do que comprida e um banheiro apenas, mas que tinha todo o conforto que eu poderia querer: o que basicamente significava uma banheira. Na rua, uma varanda com rede, nos fundos um quintal pequeno, mas que continha uma horta com verduras e legumes que mudavam a cada estação. Era Ana quem cuidava dessa parte, sempre gostou de lidar com terra, adubo e plantas. Tinha até um pequeno minhocário em casa que eu estava sofrendo para manter vivo agora que ela estava longe.

Seis meses que Ana está longe do chão de madeira que serviu de pista de dança para nós duas em noites de vinhos e queijo, seis meses sem deitar na rede enroscadas, seis meses sem banho de banheira fumando maconha — cortesia da horta de casa. E eu me culpo, a cada dia mais, ainda que não saiba direito o que foi que fiz. Mas sei que fiz. Sete anos ao todo juntas, nunca absorvi nenhuma memória de Ana e, mesmo assim, tenho certeza absoluta de que esse coma foi causado por mim. Não sei como, não sei de que jeito consertar, mas preciso fazer alguma coisa além de esperar que ela misteriosamente acorde. Só não sei onde procurar a solução.

Depois de passar praticamente esse meio ano no hospital, tirei esta semana para ficar a maior parte do tempo em casa, cuidando de nossas coisas e dando uma atenção especial para Amora, que passou o primeiro dia que voltei sem olhar na minha cara. Enquanto estava longe, André, nosso amigo de longa data, ficou com Ana. Ele insistiu para que eu ficasse um tempo em casa e cortasse o cabelo: *Imagina se ela acorda e te vê assim.*

Hoje é 31 de dezembro e vou voltar ao hospital para a virada de ano, com certeza a mais triste que já passei. Preparei um kit para atrair boas energias e sorte para o ano que começa, fiz uma mistura de alecrim, sal grosso, álcool e água, peguei uma blusa azul pra mim e algumas luzes a pilha para melhorar aquela iluminação de hospital, também comprei uvas e cozinhei lentilha para a ceia de Réveillon, que por mim degustaria direto do pote ainda quente saído do micro-ondas. Deixei nossa casa querendo tentar toda a sorte do mundo, rezas e promessas, para vê-la acordada novamente. Enquanto eu comia pitangas e jogava as sementes no quintal, esperando que alguma delas virasse uma pitangueira, Amora se aninhou no meu colo e começou a ronronar muito alto.

— Alguma coisa vai funcionar, Amora. Não é possível, né?

E aí já não enxerguei mais nada, a vista embaçou do choro que veio me visitar.

12.

Sentada no hall de entrada do hospital, enrolada numa manta por causa do ar-condicionado, eu tentava mudar de ares e procurar pessoas que fossem fortes o suficiente para absorção. Ali não era pronto-socorro, então a maioria dos que chegavam eram parentes para visitar doentes internados. Meu corpo era só uma casca fraca que precisava de energia, então escolhi um homem que estava sentado esperando sua vez para visitar a avó. Fechei os olhos e me concentrei na presença dele, cabelos compridos amarrados, desgrenhados e olhos cansados, busquei pela sensação de tédio mais profundo que emanava de suas lembranças e absorvi uma memória longa e arrastada sobre uma visita à avó naquele mesmo hospital. Na lembrança, ele permaneceu calado e sentado durante todo o período em que esteve no quarto, respondendo ocasionais perguntas sobre seu trabalho e sobre o namoro — que já havia acabado e que ele fingia ainda existir. Junto disso, uma memória sobre as sardas nos ombros da ex-namorada magricela, um sentimento de saudade e ódio. Aquilo ia me causar dor de cabeça, com certeza.

Abri os olhos e vislumbrei o moço impassível, como se nada tivesse acontecido. Aquela memória provavelmente era repetida e não faria nenhuma diferença na sua coleção de tédio — ou raiva da ex. Então me levantei devagar e caminhei em direção ao quarto de Ana. Era incrível a força que me dominava depois de absorver, perdi o frio que sentia e voltei com a manta enrolada embaixo do braço. No espelho do elevador vi um rosto mais corado, saudável e um cabelo agora muito curto — eu quis me certificar de que não precisaria me preocupar com outro corte tão cedo.

Do corredor ouvi vozes conversando animadamente e me perguntei se por acaso tinha descido no andar errado, mas não. Ana continuava deitada, anestesiada, perdida em algum recôndito de sua mente e André estava apoiado na janela, seu suéter damasco contrastando com as paredes brancas e sua pele retinta; a novidade era a mulher que conversava animada com ele: usando uma blusa estampada com flores e uma calça cáqui que casavam muito bem com sua pele morena e seu cabelo castanho com corte chanel, eu achei estar observando um quadro quando deparei com os dois. Incrível como as cenas do cotidiano podem ser lindas. Ana teria tirado uma foto incrível.

Assim que entrei percebi que ele contava como tinha sido a viagem que fez para Buenos Aires no fim do ano, focando principalmente como os gays argentinos eram lindos. André, em cinco minutos de papo, sempre acabava chegando no tema homens. Ao me notarem, André pulou pra apresentar a moça:

— Vic, voltou finalmente! Olha só, essa aqui é a Sami, ai, desculpa, Samara! Já fiquei íntimo.

Os dois gargalhavam como se fossem amigos de infância e eu sorria um pouco constrangida. Ela percebeu meu jeito travado e adotou uma postura um pouco mais formal, estendeu a mão pra me cumprimentar:

— Eu sou a doutora Samara, sou psicóloga aqui do hospital, me transferi faz uma semana. Eu vim me certificar de que está tudo bem com você e com o André. — Ele sorriu pra ela de orelha a orelha.

— O médico da Ana comentou que iria aparecer alguém pra conversar conosco... Brigada por ter vindo. — Sorri um pouco forçado, já cansada por ter que escolher entre mentir ou absorver as memórias da terapeuta.

— Vou deixar vocês conversarem em paz, tenho uma reunião com um cliente agora, mais tarde eu passo por aqui pra dar um beijo em vocês duas, tá bem, Vic? — André me abraçou forte e me deu um beijo no rosto, a presença dele suavizava a dor que eu sentia, mas naquele momento eu queria que ele ficasse simplesmente porque a ideia de conversar com uma psicóloga me deixava ansiosa.

Ele saiu porta afora e ficamos nós duas, sorrindo sem intimidade. Ofereci o sofá confortável para que ela se sentasse e me recostei na cama de Ana. Segurei a mão dela forte e fiz carinho nas suas unhas, que estavam precisando ser aparadas. Eu faria isso quando a doutora saísse dali.

— Victória...

— Pode me chamar de Vic. Só minha tia me chamava pelo nome inteiro.

Ela me olhou de um jeito terno como há muito tempo não me olhavam. Era muito bonita, seus olhos eram verdes e as marcas de expressão pareciam pintadas à mão. Ela parecia um pouco jovem e pensei que deveria ter começado a clinicar havia pouco tempo.

— Eu vim te ajudar da melhor forma que eu posso.

— Eu agradeço muito, mas hoje não é dos dias que eu quero conversar ou me abrir — interrompi rapidamente, querendo economizar o tempo dela.

— Tudo bem, eu não sou psicóloga, mas meu nome é mesmo Samara. Você e eu somos iguais. Eu vim te ajudar a tirar Ana do coma.

13.

A primeira vez que eu transei com uma mulher foi como se descesse uma luz angelical do céu bem em cima de nós duas na cama. Parece clichê, mas nada tinha me preparado para a sensação incrível que era estar perdida no corpo de outra mulher. Eu via TV, filmes e lia livros que mostravam cenas de sexo — a maioria heterossexual. E mesmo numa casa em que assistíamos a filmes, séries e livros lésbicos, nada pareceu sequer chegar perto daquilo que eu vivia naquele momento. Eu tinha 16 anos, estava me recuperando psicológica e fisicamente das minhas crises, e a menina era minha paixão da escola.

A coisa mais surreal de todas as cenas de transas lésbicas em filmes e séries eram as caras que voltavam totalmente secas depois de chupar uma mulher, quase como se tivessem ao lado um guardanapo. Até os filmes bons deixavam de retratar uma das melhores coisas do sexo oral em mulheres: estar afogada naquela umidade incrível. A primeira oportunidade que tive de chupar uma mulher foi naquele dia, sem saber direito como fazer. Segui meus instintos e me guiei pelos apertões e gemidos que Clara emitia. Mesmo sendo inexperiente, me senti em casa, sabia que havia encontrado uma coisa que eu amaria fazer pelo resto da vida.

Para mim, sexo é transcendental, troca de energia e conexão. Eu me perdia, saía do meu corpo, vivia de sensações. Por isso era tão difícil me controlar para não absorver a mulher que estivesse comigo; quanto mais tesão eu sentia, mais difícil era e, se eu gozasse, era praticamente impossível não absorver pelo menos uns cinco minutos de memória recente. Elas costumavam esquecer que eu tinha tido um orgasmo e continuavam, eu tinha que avisá-las pra parar e ouvia *Nossa, nem percebi*. E isso era suave, acontecia quando eu já estava craque no controle. Antes disso fiz muita besteira e uma vez cheguei a desmaiar a menina que estava comigo. Esse episódio me perseguia e desde então eu tomava muito cuidado, e adiava até o momento em que não transar se tornava quase uma tortura.

Transar com Ana era incrível. Mesmo depois de sete anos de relacionamento. A não ser por um breve momento em que estivemos separadas — sete meses no segundo ano de namoro —, Ana era a única mulher com quem eu fazia sexo regularmente e, mesmo no período em que demos um tempo, a intimidade que eu tinha com ela fazia falta e parecia que ser solteira não era tão interessante. Me faltava a energia dela me arrepiando a pele, o gosto daquela boca que me fazia ficar molhada. Sem falar nos abraços depois do sexo, nuas, deitadas no escuro, enlaces que começavam cansados e afetuosos, a cabeça deitada no seio que muitas vezes, sem querer, se via beijando o mamilo, e de repente reiniciava o sexo que nós duas jurávamos que tinha acabado. Às vezes a cena se repetia três, quatro, cinco vezes no mesmo dia. Uma das belezas de transar com mulheres. E o banho final de banheira, as duas murchas depois de ficar uma hora na água, o corpo mole e dolorido.

A gente é amor mas também é sexo, de verdade, real, não aquilo que colocaram na TV.

14.

Eu adorava sentir, lá da Caixa, o cheiro de pipoca que vinha deslizando da cozinha de casa até minhas narinas. Já sabia que Pan estava preparando tudo para passarmos mais uma noite assistindo a algum filme — variávamos de comédias bestas a documentários lindos.

Naquela noite eu tinha pedido para assistirmos algo divertido e escolhemos *A múmia*. Ana iria se juntar a nós e tinha prometido fazer pipocas de sabores diferentes. Talvez por isso, com o costumeiro cheiro de pipoca, vinha da cozinha um aroma de pimenta.

Era quase seis da tarde e meu turno ia acabar logo. Fui guardando os livros fora de lugar e arrumando as almofadas todas em cima do tapete no cantinho da livraria. Era quarta-feira e eu não ia mais trabalhar o resto da semana porque no dia seguinte iríamos para a casa do André, na praia. Tia Pan tinha preferido ficar em casa para cuidar da Caixa, e também já não andava se sentindo tão bem para viajar. Dói no coração perceber a doença chegando sorrateira. Praticamente um ano depois eu estaria recolhendo suas cinzas.

Ana e eu namorávamos havia seis meses, aquele momento em que descoberta e rotina já se misturavam. Eu amava recebê-la em nossa casa e ainda mais quando Pan estava de bom humor e fingia que gostava que eu tivesse uma namorada aos vinte e dois anos de idade. Quase vinte e três. Depois da meia-noite seria 29 de dezembro, mais um dia com informações sobre minha mãe, o primeiro com a presença de Ana, o primeiro que eu passaria longe de Pan e, também, o último aniversário antes de ela partir. Queria eu ter sabido disso bem antes.

Um dos livros fora do lugar, o último que eu tinha de guardar antes de provar as pipocas mirabolantes de Ana, era uma edição antiga e com a lombada rasgada do *O morro dos ventos uivantes*, de Emily Brontë. Me sentei no chão para folhear as páginas que eu tinha lido muitos anos antes. Eu detestava Heathcliff e amava Cathy. Era incrível pensar como a autora — e todas as suas irmãs — teve de usar um pseudônimo masculino para conseguir publicar o livro. Eu sentia orgulho de ver o nome dela na capa, imponente. Na primeira página do livro, uma dedicatória:

Paola,
Lembrei de você quando encontrei este livro.
Espero que você goste.
Léo
14/05/1987

Estremeci de leve. Um ano antes do meu nascimento. Talvez aquele fosse meu pai biológico, embora eu soubesse que minha mãe tinha muitos parceiros. Essa era uma paranoia em que eu não iria entrar. Toquei de leve na tinta azul da caneta e um flash invadiu minha mente.

Minha mãe, que eu só conhecia das minhas memórias roubadas ou das fotografias, segurava o livro entre as mãos e beijava um homem de camisa azul. Será que eu imaginei? Toquei novamente no livro: nada. A essa altura, Ana apareceu na porta com um pote cheiroso de pipoca e me apressando, já eram seis e vinte. Levantei, confusa, livro nas mãos, guardei na gaveta mais próxima e esqueci o que tinha acontecido por muitos anos.

Até conhecer Samara. Aí tudo voltou. Que ironia eu normalmente ter uma memória péssima.

15.

Sentadas numa mesa no café do hospital, eu espreitava Samara por cima do cardápio esperando que ela me desse algum sinal de que estava brincando e me gravava para as pegadinhas do Silvio Santos.
— Então, doutora...
— Não sou psicóloga, eu te contei já. — Ela falava comigo enquanto escolhia muito atenta o que iria comer.
— Tudo bem, então, Samara...
— Sami. Nem minha mãe me chama pelo nome inteiro.
— Ela me olhou e sorriu.
— Ok. Sami. Me fala mais sobre você.
— Eu não estou brincando, nem vou te levar pra nenhum programa de auditório, Vic. Fica tranquila.

Minha testa com certeza já estava enrugada e achei que nunca mais iria conseguir endireitar meu rosto. Ela *ouviu* o que eu pensei ou eu falei em voz alta demais? Já que ela era *como* eu, ela absorveu a memória de mim? Não podia ser, do contrário eu não teria ainda a lembrança de ter pensado isso.

— Por que você mentiu? — Essa foi a primeira pergunta que fez sentido proferir e que não me entregava, caso ela fosse uma impostora.
— Eu não podia contar pro seu amigo quem eu era de verdade.
— E quem você é de verdade?

Ela pareceu se animar com a pergunta, se ajeitou na cadeira e olhou para cima, reflexiva:

— Vamos ver, sou Sami Rios, amo viajar, mas na verdade todo mundo ama, a única diferença é que nem todos têm dinheiro pra fazer isso, embora eu também não tenha tanto assim. Nasci em Belo Horizonte, minha cor favorita é laranja, me formei em jornalismo, mas não exerço a profissão, e pratico ioga. Ah, e eu sou *exatamente* como você. — Ela disse tudo isso muito rápido, quase sem respirar.

— Lésbica?

Ela deu uma gargalhada rápida.

— Não vou dizer que nunca beijei mulheres. Mas não é disso que estou falando. Qual é a coisa que mais te define no mundo e mesmo assim você não conta pra ninguém, a não ser pra uma mulher que atualmente está em coma?

Depois disso não havia mais como achar que ela estava mentindo. Não sabia como ela tinha obtido essas informações e comecei a me sentir vigiada. Dobrei os braços sobre meu peito.

— Como você me achou?

A expressão de Sami tinha mudado drasticamente, passara de animada e divertida para soturna e séria. Ela pediu licença e pegou um café na máquina, voltou bebendo, colocou-o na mesa e acertou a colher perfeitamente alinhada à xícara.

— Eu tenho monitorado casos de coma, Alzheimer, convulsões e amnésia pelo Sul e Sudeste do país. Foi assim que encontrei você.

— Coma e Alzheimer? — Estremeci, e não era de frio.

— Sim — ela me respondeu mansa, mas firme —, eu não sou psicóloga, mas estou aqui pra te ajudar e ajudar aqueles que convivem com você. Eu sei como é passar por isso e, se você deixar, eu posso aliviar seu fardo e, se tudo der certo, tirar Ana daqui.

A cena seguinte deve ter sido engraçada para quem via de fora. Uma moça chorando e a outra a acalentando. Quando parei de soluçar, soltei:
— Por favor, me ajuda.

16.

— Eu já te disse que você parece um pouco com ela? — Ana apontava para a atriz principal de *A múmia*. Eu ri descontroladamente por três minutos, cheguei a ficar sem ar e precisei tomar água. Na época achei que ela estava doida, mas hoje até vejo uma semelhança com a Rachel Weisz. Óbvio, não sou nada hollywoodiana, mas talvez os traços até lembrem.

— Verdade... lembra bastante — disse Pan enquanto enchia mais uma mão de pipoca com pimenta sriracha. — Mas ela parece muito mais a sua mãe.

Olhei disfarçadamente, esperando que ela soltasse mais alguma informação sobre minha mãe, já era quase meia-noite, dia 29 de dezembro, o dia oficial de soltar informações sobre Paola. Mas não, era só aquilo mesmo, uma provinha antes do prato principal.

— Quando esse filme estreou eu tinha onze anos e já sentia uma coceira na calcinha quando ela aparecia.

— Pelo amor de Deus, Ana Cristina!

— Ahhhhhh, pudica! — berrou Pan.

E assim ficaram por dez minutos, Pan e Ana rindo muito da minha cara envergonhada. Só pararam porque finalmente o relógio marcou meia-noite e as brincadeiras foram substituídas por beijos, abraços e cócegas. O bolo do ano era de nozes e chocolate e tinha exatamente vinte e três velinhas roxas, que foram acesas correndo para a cera não pingar na cobertura. Aquele ano eu esqueci de fazer pedido de aniversário. Talvez porque me sentisse completa. Ter as duas ali era o suficiente. Antes de cortar o bolo, ganhei os presentes:

da minha tia recebi mais um cacto para minha coleção e, de Ana, um livro de Angélica Freitas, *Rilke shake*. No canto da página do *poema pós-operatório*, ela escreveu: *Seja minha oitava costela, porém não vá embora. Eu te amo. Ana.*

Comemos bolo sentadas no sofá, assistindo minha clone fugir da Múmia, e Pan ainda não tinha soltado nada sobre minha mãe quando se levantou pra dormir. Ao me dar boa-noite, ela beijou minha testa e disse: *Você se tornou uma mulher incrível. Sua mãe teria amado você. Feliz aniversário.*

Foi tudo o que ela disse sobre Paola. Foi o suficiente.

17.

Se você parar para pensar, todo mundo prevê o futuro, por mais próxima ou imbecil que seja a previsão. Quando um bebê pega nas mãos uma tesoura, por exemplo, você consegue prever um futuro possível em que ele se machuca. Esse vislumbre do futuro é possível graças a sua memória, que armazena informações, situações e dados. Você pode assimilar um padrão de acontecimentos para uma cena como aquela: tesouras são afiadas, coisas afiadas podem machucar seres humanos, bebês não têm raciocínio ou coordenação motora plenamente desenvolvidos. Por um breve momento somos todos Cassandra, ainda que façamos uma profecia aparentemente óbvia.

Se você não armazena informações com eficácia, pode colocar sua vida em risco mesmo nas mais simples tarefas do cotidiano. Vivi isso de perto com tia Pan nos últimos meses da doença dela. A memória nada mais é do que informação preservada e arquivada na mente e, quando você já não alcança mais os arquivos, até atravessar a rua pode ser perigoso.

E agora eu tinha certeza, todas aquelas situações que Pan viveu e que culminaram em sua partida foram causadas por mim, ainda que eu não soubesse o que tinha feito. Se Samara conseguiu me encontrar a partir do monitoramento de casos de Alzheimer e coma, Pan tinha morrido e Ana estava revivendo um clássico da Disney, o denominador comum era eu.

— Você não pode se culpar por isso, Vic.

Encarei Samara, esperando que ela me explicasse como eu faria aquilo. Não me culpar não era uma opção. Estávamos na minha casa e de Ana, Samara brincava com Amora. Ela se levantou, deixando a gata indignada com o abandono, e sentou-se ao meu lado no sofá.

— Você culpa uma criança que te acerta uma bola na cabeça?

— Se ela fizer isso de propósito, sim — respondi rapidamente.

— Exato! Você é uma criança aprendendo a jogar bola, você acertou algumas pessoas no caminho porque seus movimentos não são perfeitos, você está se desenvolvendo, suas habilidades são novas e você não tem total controle sobre o que faz.

Samara sorriu, doce como só ela conseguia ser. Tão pouco tempo perto dela e eu já tinha assimilado como ela era gentil. Apesar da metáfora da criança com a bola fazer todo o sentido, de maneira alguma isso acalentava meu coração. Eu não era uma criança, eu era adulta e consciente, e eu não tinha acertado uma *bola* na cabeça de Pan e de Ana, deixando-as com um galo por uns dias. Uma estava *morta*, a outra, em *coma*.

— Você já acertou alguém com uma bola? — perguntei um pouco irônica, arrependi-me quase instantaneamente. Sami mudou sua expressão de ursinho carinhoso:

— Sim — ela me respondeu firme —, e nem foi sem querer. Mas hoje não é o dia pra essa história, outro dia eu juro que te conto.

Apertei a mão dela levemente num pedido de desculpas. Estávamos ali para que eu pudesse tirar dúvidas e entender quem eu era e, principalmente, para saber como tirar Ana da cama do hospital.

— Esse processo que você e eu temos que passar pra sobreviver se chama desmemória. Eu gosto de começar pelo termo porque cada pessoa acaba usando um nome e isso dificulta o entendimento e, também, porque *absorção* é péssimo, a gente não é absorvente.

Como alguém consegue fazer piada com esse assunto? Fiquei levemente ofendida, mas muito tentada a rir.

— O meu trabalho é encontrar pessoas como nós que estejam no início pra poder evitar certas situações. Eu cheguei um pouco tarde a você, e por isso eu te peço perdão. Às vezes, monitorar casos médicos me ajuda a chegar até as pessoas. Quando eu vi um caso de Alzheimer e um de coma na mesma família, tive certeza de que havia ao menos um de nós envolvido.

Acertou. *Uma* de nós.

Respirei fundo e tomei um gole do café. *Frio*. Devo ter feito alguma careta porque Sami perguntou se eu queria café novo e já foi pegando a garrafa térmica que estava em cima da mesa de centro. Enquanto me servia de café quente, ela continuava:

— Não vou ficar dando aula pra você agora, Vic, vou resumir: eu tenho alguma experiência em casos como o da Ana e sei que ela pode sair dessa. Mas também sei que não vai ser fácil nem rápido.

— Você pode ajudar ela? — Eu tentava, em vão, não criar esperanças.

— Não, quem vai ajudar é *você*. Eu vou te ensinar a fazer isso. Gosto de pensar que eu sou uma professora.

— Então, na verdade, você vai, sim, me dar aula.

Ela riu e derramou um pouco de café na blusa.

— Tola. Resumindo muito: eu gostaria de chegar amanhã no hospital e tirar Ana do coma e partir pra próxima, infelizmente não tenho esse poder. Como foi você quem desmemoriou ela, só você conhece a mente dela o suficiente pra consertar.

— Não, eu nunca me *alimentei* dela — eu falei em voz alta pela primeira vez em toda minha vida e me senti exatamente como achei que me sentiria: ridícula.

— Conscientemente não, eu sei, mas imagino que vocês estejam há algum tempo juntas, não? Sete anos? — Samara parecia vidente e aquilo me deixava nervosa. — Durante todo esse tempo vocês têm dormido juntas, convivem quase que todo o tempo, não? — Em silêncio, eu respondia às perguntas dela sem interromper seu fluxo de pensamento, apenas fazendo sinais com a cabeça. —Infelizmente, se você não aprende a controlar, você pode desmemoriar alguém durante o período em que sua mente está adormecida. Seu corpo está parado, mas seu cérebro nunca para. A exposição a situações como essas pode causar uma série de problemas pras pessoas, digamos, normais, embora eu odeie essa palavra. Foi o caso de Ana —, o cérebro dela está num modo de *defesa*. Antes que acontecesse algo mais permanente, ele se fechou em si mesmo pra tentar impedir a desmemoriação. Você e eu vamos tirá-lo desse estado, se tudo der certo.

Meus olhos estavam secos, pois fiquei sem piscar enquanto ela falava, assustada demais por presenciar alguém realmente dissertar sobre aquele assunto e não ser dentro da minha cabeça. Samara segurou minhas mãos e olhou fundo nos meus olhos mais áridos que o clima da caatinga brasileira.

— Pisca, toma uma água e pega caderno e caneta.

18.

O barulho da água pingando me lembrou o dia que consertei a torneira de casa, não sem antes deixar o cano vazar e encharcar toda a cozinha. Essa memória nunca me pertenceu, jamais tinha aprendido qualquer coisa sobre encanamentos. Alguma lembrança sempre teima em aparecer e me lembrar de que não sou como os outros. Tenho sempre a impressão de estar no lugar errado, vivendo a vida de alguém: poucas vezes experimentei a sensação de pertencer a algo inteiramente. Sou sempre intrusa.

Essa sensação se tornava cada dia mais fraca à medida que convivia com Sami. Estar perto de alguém exatamente como eu, e que entendia algumas das emoções mais sombrias que guardei só para mim era, no mínimo, libertador.

Mas como tanta coisa na minha vida, algo bom não poderia vir desacompanhado de uma parte ruim. Samara tinha me aberto os olhos para aquilo que eu mais temia: eu estava fazendo mal às pessoas que amava. Já era hora de parar de me esconder, aceitar minha condição e desenvolvê-la da maneira mais segura possível.

O problema é que não tínhamos muito tempo. Ana estava em coma há seis meses e quanto mais tempo ela passava trancada em si mesma, mais difícil seria tirá-la dali. A coisa mais importante agora era conseguir reverter a situação e, para isso, eu precisava aprender mais sobre desmemoriar e, especificamente, aprender a acessar as memórias dela que absorvi.

Como você se sentiria se soubesse que tem o poder de machucar alguém que ama mesmo enquanto está dormindo?

Eu ainda não sei descrever em palavras o que é isso que sinto, um misto de desespero, culpa e vontade de mudar. Samara me explicou que, normalmente, desmemoriamos durante o sono porque, quando acordadas, não estamos nos fortalecendo o suficiente. É verdade que sempre evitei ao máximo absorver memórias e sempre tento alcançar aquelas que não me parecem importantes. Toda vez que absorvo uma memória tediosa ou sem importância, me basta para permanecer de pé, mas meu corpo pede mais, ele quer riqueza de detalhes, memórias coloridas, que trazem cheiros, gostos e sensações. Ou seja, passei minha vida tentando proteger as pessoas, me apropriando somente de lembranças de consertos de torneiras, visitas chatas a familiares distantes, e enquanto isso estava fazendo mal àquelas que amo. Gostaria de trocar uma ideia com o roteirista da minha vida.

Às vezes fico cansada de ler histórias e assistir séries e filmes que só mostram sofrimentos de pessoas LGBT, em especial de mulheres que amam mulheres. Que delícia seria se eu pudesse consumir conteúdos felizes e despreocupados, isso facilitaria o fardo pesado da minha vida. Mas, principalmente, queria eu fazer parte de uma história em que, basicamente, haveria mulheres casadas, felizes e com muitos animais de estimação. Sem doença, morte, preconceito.

O primeiro livro lésbico com final feliz é de 1954, o mesmo que virou filme com Cate Blanchett e Rooney Mara — inclusive, que casal — *Carol*, baseado na obra *The price of salt*, da Patricia Highsmith. Antes disso, todos os livros que mostravam relações lésbicas, quando eram publicados, acabavam tragicamente. Sempre havia algum tipo de punição para quem ousasse andar fora da linha demarcada.

Mais do que nunca, espero que minha história possa ter um final feliz, em paz.

19.

Pouco antes de falecer, tia Pan só me chamava de Paola. Um dia tocou na minha barriga, me olhou nos olhos e falou *Paola, você não pode ter filho agora*. Eu respondi mentalmente *Verdade* e coloquei o prato de comida à sua frente na bandeja. Lembro bem o cheiro do purê de batatas com molho de tomate, uma das comidas preferidas de Pan, mas, ainda que eu também amasse, depois daquela frase o almoço não teve o mesmo sabor. Na verdade, mais nada tinha muita graça agora que Pan quase não se lembrava mais de nada. Ela confundia constantemente os momentos de sua vida, se perdia no tempo, raramente se lembrava de mim.

— Sabe, Paola... um dia gostaria de abrir um negócio meu.

Respirei fundo enquanto mexia o purê no prato, esperando que a fome em algum momento viesse, me equilibrando na cadeira ao lado da cama.

— É mesmo, Pan? Que tipo de negócio?

Ela soltou um *Aaaah* longo e pensativo. Comia o purê e o molho, animada, embora seu paladar já não fosse o mesmo. Havia meses que ela não comia bem daquele jeito. Aquela foi a última refeição que ela pareceu aproveitar antes de ir embora.

— Uma livraria sempre foi meu sonho. Você sabe que sempre amei ler. Você não lê tanto quanto eu.

— Verdade. O que você acha de colocar o nome de Caixa de Pandora?

Ela riu e disse que o nome era bobo, que jamais faria isso. Eu ri com ela e concordei. O resto do almoço seguiu em silêncio.

Enquanto ela esteve doente, eu me dividia entre cuidar de sua saúde e da Caixa. Ana me ajudava muito nesses momentos, eu não saberia o que fazer sem ela. Enquanto eu trabalhava, ela ficava com Pan, enquanto eu estava em casa, ela cobria meu turno, até André tinha entrado na dança e algumas vezes cuidou da livraria ou de tia Pan. Ana e ele se conheciam da faculdade de Direito, ela saiu para fazer fotografia, mas André continuava o curso. Mesmo assim, a amizade dos dois continuou e se alastrou para mim, o que me deixava extremamente contente e com medo — feliz por ter feito um ótimo amigo, temerosa por ter mais alguém para evitar absorver.

Pan já não andava mais pela casa. Estava fraca e totalmente esquecida. Naquele último mês de vida ela não se lembrou de mim uma vez sequer. Era só o fantasma da Pandora que um dia havia sido, estava macérrima, não comia direito e passava quase todo o tempo de cama. Ocasionalmente, esquecia de respirar e de engolir a pouca comida que colocava na boca. No dia seguinte ao almoço, ela teve de ser internada, no mesmo hospital em que Ana estava agora. Edema pulmonar. Eu me lembro até hoje do aviso e da premonição: *seja forte, se prepare pro pior*.

Nada poderia ter me preparado para aquilo. Quando ela se foi de vez, eu passei algumas horas na Caixa chorando e planejando tudo que eu precisava fazer para a cerimônia de despedida antes da cremação. Ela sempre me disse que queria ser cremada e que a única caixa em que gostava de estar dentro era da livraria.

Naquele dia me doía todo o corpo e o coração. Agora eu estava sozinha de verdade. Só me restava Ana. Só o abraço dela me acalmou naquela noite.

20.

Samara tinha quatorze anos quando entendeu o poder que tinha e começou a tirar alguma vantagem. Ao contrário de mim, ninguém na família era como ela, ao menos ninguém que ela conhecesse. A mãe de Samara sobreviveu à gravidez, apesar de ter ficado muito debilitada. Conseguiu cumprir os nove meses e sair da cesariana, sua bebê, como consequência, nasceu franzina e enfraquecida. Samara não desenvolveu a capacidade de desmemoriar conscientemente até ter dez anos de idade, antes disso apenas absorvia superficialmente sem perceber o que fazia. Por isso era pequena e pouco desenvolvida e, se olhada rapidamente, poderia ser confundida com uma menina de quinze anos, embora já tivesse quarenta. Quase morri de susto quando ela me disse sua idade.
    Samara cresceu com seus irmãos, todos mais velhos do que ela, uma menina e um menino. No começo, quando descobriu que controlava a desmemoriação, ela absorvia os dois. Era divertido fazê-los esquecer do que brincavam ou que aquela boneca era de um deles. Ficava muito mais fácil usar brinquedos, tarefa quase impossível quando se é caçula.
    Quando Sami tinha treze anos, sua mãe arranjou um namorado novo. No início, ela gostava muito da companhia de Alcir e não entendia por que os irmãos o odiavam. Quando ela perguntava, ninguém explicava o porquê, diziam que ela era nova demais para entender. Logo ela descobriu que, com sua habilidade, podia burlar a todos e passou a analisar memórias que absorvia para, aos poucos, compreender

o ódio que sentiam dele. Uma noite, ela mesma presenciou a mãe chorando, sentada na cozinha. No chão, todas as panelas com comida ainda quente. No rosto da mãe, um roxo no olho e a boca inchada que sangrava.

Os irmãos faziam o que podiam, Luana, que era a mais velha, já tinha até saído no tapa com o padrasto. A mãe não conseguia largá-lo, dependia financeiramente dele e era ameaçada toda vez que pedia o divórcio. Ali, aos quatorze anos, Samara sentiu ódio e pensou que talvez pudesse, de alguma forma, ajudar a mãe. Começou, gradativamente, a trocar o cardápio de alimentação de memórias, partiu para Alcir, testando se seu plano daria certo. De repente esquecimentos repentinos faziam com que ele não encontrasse o telefone, as chaves do carro, esquecesse de vestir as calças, um dia cortou fora a ponta do dedo indicador quando teve um branco enquanto picava cebolas. Não se lembrava mais de coisas óbvias. Foi no dia da cebola que Samara entendeu que podia realmente acabar com aquilo tudo que a família vinha passando, e que vinha piorando com o passar do tempo. Dois anos depois, Alcir já não fazia nada direito, tinha lapsos de memória gigantes e, um belo dia, encontraram seu corpo no chão, a pele azulada: morreu asfixiado com um pedaço de pão. Esqueceu-se de mastigar.

Foi assim, como se jogasse muito mais do que uma bola de basquete na cabeça do padrasto, que Samara compreendeu o poder que tinha.

21.

Memórias são energia e, claro, seres vivos possuem muito mais energia do que um objeto. Ainda assim, era possível tirar das coisas lembranças guardadas, já que tudo, de alguma forma, estava vivo. Nem tudo possui memórias nítidas, mas algumas coisas são marcantes e podem ser lidas. Essas memórias não estão ali para servir de fonte vital, são amuletos. A caixa de sapatos que eu segurava em mãos continha vários objetos de Ana. Ela sempre teve a mania de guardar aquilo que nos remetia a momentos especiais e agora, pela primeira vez, talvez essa mania de acumuladora servisse para algo útil.

Samara tinha insistido em fazermos isso na Caixa, já que julgava ser ali o lugar mais emocional da casa. Precisávamos acessar memórias de Ana, eu tinha que treinar antes de tentar acordá-la, precisava aprender a me movimentar dentro da cabeça dela.

— Você já meditou alguma vez? — Sami estava sentada no tapete do cantinho de leitura da livraria, eu sentei à sua frente, estávamos as duas rodeadas de almofadas. Eu assenti com a cabeça, já tinha meditado algumas vezes durante a vida, mas Ana é que tinha esse hábito. Eu sempre quis desenvolver mais esse meu lado, mas tinha medo do que iria encontrar e por isso fugia.

— O que vamos fazer agora é basicamente uma meditação. Você vai pegar um dos objetos da caixa, vai segurá-lo e eu vou guiar a meditação, porque assim é mais fácil pra quem tá começando, ok? O que vai acontecer aqui não é mágico e nem nítido, você não pode esperar que as imagens apareçam como numa televisão, pode ser que você pense que está inventando ou criando as coisas que vierem, mas aceite e abrace todas elas. Aos poucos tudo vai ficando mais fácil de enxergar.

Abri a caixa e vi uma infinidade de objetos e papéis, tudo aquilo me parecia lixo, embora eu tivesse certeza de que deveria significar muito pra Ana. Escolhi um ingresso de cinema, o filme era *Não estou lá*, sessão do dia 25 de março de 2008. Eu ainda não conhecia Ana nessa época, também nunca tinha assistido ao filme. Podia ser interessante acessar essa memória.

Numa sala escura, que eu só podia assumir que fosse de cinema, consegui sentir um cheiro forte de pipoca, e percebi a presença de Ana, cabeça raspada, jaqueta jeans, enfiada numa poltrona. Ao seu lado uma mulher linda estava sentada, gorda, cabelos curtos, olhos claros, lembrava um pouco a mim mesma quando conheci Ana. Olhei ao redor, agora podia enxergar a sala cheia, filme rodando, consegui reconhecer Cate Blanchett, uma das minhas maiores *crushes* e da Ana também. Ela estava interpretando Bob Dylan na tela, magnífica. Me subiu um calor. Parecia que em Ana também, quando ela apareceu com aquela roupa maravilhosa. De repente, Ana voltou sua atenção para a moça ao seu lado, segurou sua mão. O som na sala ficou praticamente mudo, no fundo, apenas sons abafados, não conseguia distinguir qualquer palavra. Ana e a mulher se olharam rapidamente e foram se aproximando, aos poucos. Parecia ouvir um coração batendo dentro de mim. Toquei no meu peito, o ritmo era diferente do meu, mais acelerado. Eu estava ouvindo o coração de Ana. A lembrança era dela, Ana só se lembrava do som abafado e eu estava conseguindo sentir o pulsar do seu sangue pelo corpo, tamanho nervoso de se aproximar da menina. De repente, lembrei: aquele era o primeiro beijo de Ana em uma mulher. A moça se chamava Alice. Ela tinha me contado por cima como tinha acontecido.

    Então, as duas se beijaram devagar à luz de Cate Blanchett, um gosto de hortelã e cigarro tomou conta da minha boca. E então eu estava de volta ao tapete na Caixa, junto de Sami.

22.

Alguns pesquisadores comparam nosso cérebro a um rádio que está normalmente sintonizado na função FM, quando estamos calmos, tranquilos, normais. Entramos na AM em situações de trauma, e algumas pesquisas comandadas por Jelena Radulovic mostraram que as memórias construídas durante situações tensas ficam armazenadas nessa frequência AM, mais difícil de ser acessada. Ana provavelmente estava perdida nessa camada de sua mente. Era aí que eu tinha que acessar, mas para chegar a uma frequência diferente era preciso conhecer tudo, caso me perdesse no meio do caminho. Havia uma chance — bastante grande, na verdade — de que eu não voltasse e ficasse presa na cabeça de Ana, as duas em coma para sempre.

Por isso eu seguia com o processo de meditação, para acessar lembranças, para poder caminhar sem medo quando entrasse na cabeça dela. Agora, exercitava essa nova habilidade sempre que possível, testava rápidos acessos sem muita concentração enquanto lavava a louça, me vinham memórias de Ana comendo, o barulho dos talheres no prato fazia minha cabeça doer; tocando as plantas da nossa horta eu rememorava Ana adubando a terra, molhando os pés de alface. Sempre que eu lia a lembrança de um ser vivo não humano ficava confusa, via imagens não traduzíveis para meu cérebro, mas era de certa forma libertador saber que havia coisas que eu jamais iria entender; ao escovar os dentes toquei de leve a escova de Ana e tive um vislumbre da sua higiene bucal impecável, o gosto de menta impregnado na língua; sobre o tapete da sala, vi nossos corpos entrelaçados e arrepiados, a textura do tapete na pele de Ana, o arrepio que ela sentiu quando eu beijei sua barriga, a onda de calor que invadiu seu corpo quando comecei a chupá-la devagar. Senti saudade, uma saudade que me fez ficar molhada e ali mesmo, deitada no tapete, me tocar e gozar lembrando dela.

Ali, com o corpo dormente e olhando para o teto, o relaxamento pós-orgasmo rapidamente transformou-se em tristeza. Eu não podia me deixar abater, se ficasse ali com certeza começaria a chorar. Levantei devagar, andava cansada e fraca, precisava urgentemente me alimentar, ler memórias de objetos não me mantinha saudável. Isso iria ficar para outro dia, hoje eu não queria ver ninguém, só o fantasma de Ana caminhando nos corredores da minha cabeça.

23.

André se revezava comigo no hospital, a gente se alternava durante a semana. A cada dia que eu não via Ana meu coração apertava, mas ela permanecia estavelmente desacordada e, segundo Sami, seguiria assim até que eu fizesse alguma coisa.

Agora que ela tinha me dado esperanças de conseguir acordar Ana, eu precisava de mais tempo em casa para desenvolver as habilidades e desmemoriar do jeito certo se quisesse estar forte. Samara andava pelos corredores do mercado com a cestinha vermelha na mão, eu ia um pouco mais atrás pensando em tudo o que precisava aprender e questionando minha capacidade. Ela se virou impaciente — o máximo que conseguia ser — e me disse para apertar o passo. Estávamos comprando ingredientes para o jantar e aquela era também uma lição de como escolher as memórias certas. Na parte de frutas e verduras, Samara começou a escolher abóboras, senti minha cabeça doendo pela quantidade de pessoas no ambiente. Ela chegou bem perto de mim e sussurrou, me mostrando a abóbora como quem ensina a escolher legumes:

— Você vai escolher alguém daqui e vai se concentrar em fazer o mesmo que você faz com os objetos, você vai *ler*, sem desmemoriar. É difícil, você vai sentir um desconforto, é quase como parar o xixi no meio. — Fiz uma careta. Samara e suas comparações estranhas.

Uma senhora escolhia cebolas bem perto de nós. Fechei os olhos e me apoiei disfarçadamente no balcão, me concentrei na energia que ela emanava e tentei ler que memórias a mulher guardava. De repente invadiu-me uma sensação de alegria e vi uma mulher no topo de uma rocha, a seus pés o mar se esticava até onde não se podia mais ver nada, uma brisa bateu em seus cabelos compridos. A mulher no topo da pedra era a senhora escolhendo legumes para fazer uma sopa. Senti uma necessidade gigante de absorver aquela lembrança para mim, mas parei e olhei Sami, que agora já estava em outro lado escolhendo ameixas.

— Realmente parece que parei o xixi no meio, mas com meu cérebro. Que coisa horrível.

— Agora que você sabe fazer isso, pode escolher o que desmemoriar. Chega de tratar mal esse corpinho! — ela disse, batendo nas minhas costas. — Agora pode desmemoriar alguém porque parece que você vai desmaiar a qualquer momento.

Voltei para perto da senhora, que agora pegava cenouras, sorri para ela e peguei alguns dentes de alho. Procurei novamente por aquela memória e a absorvi lentamente, tomando cuidado para parar no momento certo. A senhora continuou escolhendo legumes, agora com uma lembrança a menos de quando era jovem.

Fui embora me sentindo alimentada e culpada.

24.

O cheiro de cebola e alho fritando vinha da cozinha, forte e delicioso, me seduzindo e me provocando a largar tudo e sentar à mesa à espera do jantar que Samara preparava. Senti uma dor no peito pensando em Ana no hospital e em André comendo algo na cantina. Mas me consolei com a ideia de que hoje ele não estava sozinho, tinha levado um *date* pra fazer companhia durante a noite. Amanhã eu voltaria para Ana, planejava ler alguns poemas, ela sempre gostou de me ouvir declamar.

Nosso quarto era pequeno e confortável, todo em tons terrosos e aconchegantes, gostávamos muito de tapetes porque eu tinha a mania de me sentar no chão, mesmo que no ambiente houvesse muitos lugares para sentar. A primeira coisa que Ana fez quando se mudou foi colocar tapetes em todos os cômodos, ela sempre ficava brava quando eu me sentava diretamente no chão, ainda que o assoalho fosse de madeira. Nossa cama era coberta por um mosquiteiro, muito pelos mosquitos, um pouco pela estética. Sempre me senti protegida contra o mundo coberta pelo tule.

Sentada mais uma vez no tapete do quarto, à minha frente a caixa com as coisas de Ana estava aberta. Depois de muito pensar se deveria, abri o passaporte e fui direto no ano de 2012. Devagar, depois de inspirar e expirar algumas vezes, as imagens foram lentamente ficando nítidas, como um quadro a óleo sendo pintado. Ana estava sentada em cima da mala em um aeroporto, todas as cadeiras ao seu redor ocupadas, um cheiro forte de Bavarian Nuts enchia as narinas dos que passavam rápido em direção aos portões de embarque. Ela,

cabisbaixa, olhava as horas no relógio grande que sempre usava no pulso, intercalando sua atenção entre o ponteiro e a televisão que mostrava os horários de embarque dos voos. *Flight 3467 — Dublin — Sao Paulo. Proceed to gate.*
Ana se levantou sonolenta, a música ambiente muito alta, ela cantarolava a letra de *Someone like you*. Riu, achando que até a rádio do aeroporto ria da sua cara. De repente, um esbarrão. Era uma mulher alta, muito mais alta do que qualquer outra que conheci, cabelos curtos e ruivos, o rosto inchado provavelmente de chorar. As duas ficaram se olhando em silêncio por alguns segundos, o que era extremamente estranho para quem via de fora, mas eu era a única espectadora daquele momento. Ana foi a primeira a dizer algo:
— Luiza, eu tenho que ir, meu voo...
— Você não tem que ir.
Vi os olhos de Ana procurarem algo no chão, mas não havia nada lá. Eu me aproximei das duas, todo o resto pareceu levemente borrado. Adele agora berrava a plenos pulmões, ou era assim que ela se lembrava da cena. A moça segurou sua mão, ela apertou de volta com força.
— Eu preciso ir. Me desculpa.
— Eu te amo.
Ana sentiu como se um anzol atravessasse seu coração. Eu agora observava tão de perto a cena, que me sentia parte daquilo. Os óculos de Luiza estavam muito sujos, marcas de água e digitais cobriam a lente. Ana arrumou o cabelo dela, deu-lhe um beijo demorado e sussurrou *Eu também* antes de pegar a mala e sair em direção ao Brasil.
No tapete do quarto, passaporte em mãos, eu me arrependi levemente de ter escolhido aquela lembrança. Levantei, um pouco tonta, segui rumo ao cheiro da lasanha que me chamava da cozinha.

25.

Cinco meses após a morte de Pan eu só sentia na boca um gosto amargo dos remédios para dor de cabeça que eu tomava. Nem sabia mais o que era degustar qualquer outro sabor. Não me alimentava de memórias havia meses e, entre as consequências, sentia muitas dores no corpo, principalmente enxaqueca. Eu me despi para tomar banho e vi diante do espelho um corpo que não era mais o meu: eu sempre fui gorda, a maior parte da minha vida, as coisas mudaram quando emagreci por me negar a desmemoriar, mas eu sempre recuperava meu peso quando voltava a agir normalmente. Agora, estava tão magra quanto estivera na adolescência, na pior crise que já havia tido. Eu via meus ossos. Meus olhos nem eram mais nada a não ser fundos buracos que se destacavam em uma cara extremamente pálida. Fugi rapidamente do meu reflexo e entrei na banheira. Não sei quanto tempo fiquei na água, mas meus dedos estavam murchos e a água, fria, quando Ana entrou no banheiro preocupada.

— A gente precisa conversar, Vic.

Meus olhos apáticos olharam para ela. Seu cabelo estava crescendo rápido demais ou eu não estava prestando atenção direito. Ela tinha colocado um piercing no nariz também. Ana se sentou no tapete do banheiro e falou por muito tempo, eu sentia que a água e eu já éramos quase a mesma coisa. Não me lembro de nada do que ela disse, possivelmente porque eu não queria ouvir. Só conseguia sentir que meu corpo procurava por algo para absorver e não queria que fosse ela, eu não conseguiria lidar com a culpa de fazer mal a mais uma pessoa que eu amava.

— Ana... eu quero ficar sozinha.

— Eu tô justamente te dizendo que você não pode se esconder pra sempre aqui, você precisa se alimentar, de *todas* as formas. Você tá muito doente, eu não te reconheço mais, não sei quem você é, eu sinto que você não me olha, você vê *através* de mim, amor...

— Ana, vai embora, por favor. — Ela tentou falar duas ou três vezes e eu repeti essa frase em todas elas.

Ela ficou me olhando alguns segundos antes de se levantar e sumir por sete meses. Naquela noite eu dormi na banheira.

26.

Quando terminamos, Ana foi encontrar André na Irlanda, passar as férias na casa do amigo que fazia intercâmbio na capital do país. Eu sabia disso e sabia de mais alguns detalhes, por exemplo, o nome de uma namorada com quem ela teve um envolvimento forte durante aquele tempo: Luiza.

Ainda assim, assistir à cena de despedida entre as duas me machucava de formas contraditórias: ciúme e culpa se alternavam. Eu me sentia enciumada de observar Ana dizer que amava outra mulher que não fosse eu, embora eu soubesse que esse sentimento não era digno. Eu a negligenciei por meses e a mandei embora, a escolha foi totalmente minha, independentemente das razões que me levaram a isso. E eu sentia culpa por tê-la feito voltar de lá antes do previsto e abrir mão daquele sentimento novo e possivelmente seguro. Eu sei o que ela sentia. Eu senti na memória dela. Ela estava melhorando, tinha acabado de conhecer uma mulher incrível e tinha se apaixonado, e eu a trouxe de volta para uma ex-namorada doente e suicida que a colocava em risco todos os dias.

Nos sete meses em que estivemos longe, eu só não tentei me matar por causa de Amora, tinha medo de demorarem a me encontrar e ela acabar passando fome, ter de sair para procurar alimento e ser atropelada. Eu voltava para casa todos os dias bêbada e destruída, quando não acordava ao lado de alguma mulher completamente estranha.

Amora dependia de mim e eu não podia fazer mal também a ela. Nunca consegui superar a morte de Pan, sempre achei que ela tinha ido embora por minha causa, mesmo antes de Samara confirmar minha suspeita. Isso me consumiu durante muito tempo, eu pus minha vida em risco e a vida de Ana, além de tê-la ignorado completamente por meses. No fim, não me arrependo de ter terminado com ela naquele momento da minha vida, talvez me arrependa de não ter feito antes. Poderia tê-la poupado de muito sofrimento.

Meses depois de tê-la mantido por perto por motivos totalmente egoístas, por afeto e por medo de perder mais alguém que eu amava naquele momento em que eu mal sabia quem era, tomei a única atitude decente enquanto estivesse naquelas condições: terminei o namoro e passei mais sete meses na merda. Então, voltei a ser egoísta e fui atrás de Ana. Pedi que ela voltasse. Disse que a amava. E amava mesmo, mas será que o amor justifica tudo?

Depois de *sentir* o que Ana sentia enquanto estava longe de mim, de ter presenciado aquele beijo, eu já não sabia mais.

27.

Não sabia que horas eram quando acordei no fim da tarde deitada no sofá da sala. Amora dormia aos meus pés, só me lembrava de tê-la alimentado, feito carinho, ter aberto uma garrafa de tequila que estava perdida no armário e depois todos os flashes tinham gosto de sal e limão.

Levantei com dor de cabeça, ainda bem que ela duraria no máximo meia hora agora que eu tinha voltado a absorver memórias. Minha barriga roncou alto feito a de um troll, Amora acordou de um sonho miando e veio se aninhar no meu colo. Levando-a no colo, abri a geladeira e rezei para que meu eu do passado tivesse se lembrado de deixar alguma comida para a eu do futuro. Vi uma marmita com salada, arroz, feijão e alguns bolinhos de arroz. Não me lembrava de ter cozinhado aquilo, embaixo do pote um bilhete: *Coma direito e pare de beber. Te amo. André.*

Ele tinha passado ali, provavelmente eu estava apagada, bêbada demais para me lembrar. Coloquei Amora no chão, esquentei a marmita no micro-ondas — esqueci de tirar a salada, tive que comer murcha — e me sentei para matar o monstro que morava no meu estômago. A gata subiu na mesa, desviou dos livros jogados e se sentou olhando fundo nos meus olhos.

— Amora, não me olha assim.

Ela continuou me encarando durante muito tempo, como se indagasse o que eu andava fazendo da minha vida e onde estava sua outra humana. Eu não tinha resposta para nenhuma das perguntas além daquilo que André soltava ocasionalmente. Ele nunca falava sobre Ana, eu não perguntava, eu só queria saber se ela estava bem. Estava em Dublin, foi visitá-lo e resolveu ficar mais para fazer um curso de fotografia lá, por isso não tinha voltado com André, ao menos essa era a explicação que ele dava. Contudo, eu sabia que tinha mais alguma coisa. Nunca insisti, por respeito a Ana e por medo de não aguentar ouvir a verdade. E me bastava saber que ela estava feliz e segura. Eu sentia saudade todos os dias, mas não queria mais correr o risco de machucá-la.

Olhei no relógio da cozinha que tiquetaqueava eternamente, som que eu já nem ouvia mais. Eram sete da noite, minha barriga estava cheia, mas meu corpo pedia por mais energia, sabia o que tinha de fazer. A ressaca já havia passado, eu estava pronta para a próxima.

28.

— Este é, de longe, o lugar mais lindo onde eu já mijei — pensei e acabei dizendo em voz alta, tão perplexa que estava com aquela paisagem. De cócoras no mato, eu já estava levantando e indo encontrar Samara quando parei para observar calmamente aquela água azul-clara, quase como o fundo de uma piscina. Um banho de água salgada que não fosse lágrimas era tudo de que eu precisava.

Depois de alguns dias no hospital, estávamos nós duas acampando numa praia escondida dos turistas. Ainda era quente, apesar de o momento mais forte do verão ter passado. O importante era estar em contato direto com a natureza e aprender a tirar energia de lá, ainda que ela não me alimentasse. No mar, Samara boiava e falava comigo, eu segurava suas pernas para que ela não fosse para longe.

— Você tem que sentir os seres da natureza com vida, não são coisas, eles também possuem energia. Eles vão te servir como um Redbull, vão te dar um *up*, mas não servem para manter seu corpo saudável. Não tente entender nada do que você absorver, só faça. Você vai sentir uma sensação incrível, é quase como estar drogada.

Ela parou de boiar e fez sinal para que eu tentasse fazer o que ela me dizia. Mergulhei fundo no mar, até encostar a barriga na areia, meus dedos tateavam e encostavam em conchas, algas e bichos viscosos que eu assumia serem peixes. Durante a absorção senti e vi coisas que não sei explicar em palavras, talvez nem seja possível. Passei uma hora nadando e experimentando a força que a água me dava.

Samara já estava na barraca quando saí do mar. Sentei ao seu lado na areia para observar o pôr do sol:

— Você não sente que está invadindo a privacidade das pessoas?

Ela pareceu assustada, me olhou fixamente por alguns segundos, os cabelos molhados começavam a secar totalmente espigados por causa da água salgada. Os olhos de Sami eram verdes, nunca tinha reparado em como eram bonitos, o mar ressaltou a sua cor.

— Do que você tá falando?

— Eu me sinto invadindo a vida de Ana... Ontem vi uma coisa que talvez tivesse sido melhor não presenciar. — Ela pareceu respirar aliviada e segurou minha mão muito forte.

— Tudo o que você e eu vamos fazer vai ser pra consertar as coisas, sei que Ana vai compreender. — Ela me deu um sorriso enorme que foi como abraçar meu coração, contudo, mesmo mil abraços de Samara não apagariam o fato de que, apesar de saber que Ana entenderia tudo o que estava acontecendo, talvez eu mesma não tivesse a capacidade de compreender e conviver bem com isso. Sempre prezei pelo espaço pessoal de nós duas, nunca quis perguntar a ela coisas demais que ela não desejasse me contar por livre e espontânea vontade. Sem falar no privilégio de não saber certos detalhes. Eu não queria me lembrar quantos segundos Ana beijou Luiza quando se despediu (foram quinze), não queria ouvir os batimentos rápidos de Ana quando ouviu *Eu te amo* e definitivamente preferia não ter estragado *Someone like you* para mim. Esses eram os sentimentos condizentes ao meu ciúme, mas a pior parte era a dor de me questionar se ela tinha feito a escolha certa ficando comigo. De qualquer forma, essa escolha nunca me pertenceu.

29.

— Amiga, você tá viva! — André me abraçou forte e me encheu de beijos quando nos encontramos na entrada da festa. Eu me perdi por alguns minutos naquele abraço grande e confortável, que falta me fazia esse carinho.

— Você comeu tudo o que eu deixei pra você na geladeira? Pelo amor de deus você tá magra demais e de um jeito que não parece saudável. Já tá cheirando a álcool de novo, Victória, que é isso, meu anjo?!

Segurei-o pelos ombros e olhei para cima tentando alcançar seu olhar, mas ele era muito mais alto que eu:

— Eu comi, eu tomei banho, eu coloquei comida e água pra Amora, eu bebi — ele fez uma cara feia — bem pouquinho! Eu juro!

— Eu sei que você tá mal, que você sente falta dela... Amiga, por favor, liga pra ela.

— Dé, eu só quero entrar aí, dançar e beber, não vamos falar disso agora, tá bem?

Ele me olhou pesaroso, respirou fundo e assentiu. Logo começou a tagarelar sobre os dois boys que havia chamado para encontrá-lo lá. André já sumia logo quando íamos juntos pra balada, mas naquela noite ele tinha dois rolos para administrar e sumiu bem no início. Sentia uma leve pressão na cabeça pela quantidade de pessoas lá dentro, as memórias pareciam gritar comigo, mas a música estava alta demais e criava uma espécie de distração para meu cérebro. Depois da quinta dose de tequila, músicas, memórias e falas se misturavam, e eu já não sabia mais distinguir nada.

A memória mais nítida que eu tenho é a de estar no banheiro da balada sendo pressionada por uma mulher maravilhosa, seu corpo me prensando contra a parede e eu beijava sua boca como quem nunca mais fosse beijar na vida. No meio do caminho, quanto mais molhada eu ficava, mais eu ia absorvendo memórias, vi o corpo dela nu com diversas outras mulheres, enquanto ela me tocava eu ia me fortalecendo através das transas que ela tinha tido com outras. Mais uma noite daquele jeito, em que memórias de orgasmos e orgasmos reais se fundiam, enquanto a moça que estava comigo ia ficando cada vez mais desmemoriada.

30.

Num berço no canto do quarto, um bebê grande e gordo vestia uma roupa azul, os olhos fechados, na boca pequenina uma bolha de cuspe crescia e diminuía com o respirar da criança. Numa cadeira ao seu lado, uma Pandora muito mais jovem cochilava. Meu coração se encheu de amor e eu quase tentei abraçá-la. Um homem parou na porta e observou Pan e o bebê. Ele parecia tão apavorado que não se aproximava. Em vez disso, bateu no batente da porta fazendo minha tia acordar assustada.

— Oi, Léo... Quer ver sua filha?

Se aquele era Léo, o mesmo que beijou minha mãe na memória de *O morro dos ventos uivantes*, e aquela era a filha dele, então aquele bebê era eu? E Léo era meu pai? Eu me observei dormindo suavemente enquanto Léo estava de olhos arregalados na entrada do quarto.

— Eu vou embora, Pan.

Pan não parecia estar surpresa, ela se endireitou no sofá e começou a dobrar as mangas da camisa preta que vestia. Seu cabelo curto e que ainda não dava sinais de ficar grisalho estava um pouco desarrumado pelo sono, ela sempre foi uma mulher linda, até nesses momentos. Como ela não respondeu, ele repetiu. Pan olhou para ele e disse *Eu ouvi, não precisa repetir*.

— Você não entende. Se ela for como Paola, ela vai se tornar um *monstro*.

— Não fala assim da minha irmã, muito menos da criança.

— Você não sabe *o que* ela é — ele disse desesperado.

— Eu sei sim.

Os dois ficaram se olhando, Pandora desafiando o homem, ele assustado com a informação.

— Então você é tão demônia quanto as duas — disse meu pai, enquanto apontava para mim, dormindo inocente no berço.

Pan se levantou do sofá e voou pro pescoço dele. Segurando a gola da sua camisa, ela disse:

— Vai embora. Não volta. E o nome dela é Victória.

Pandora estava roxa, a raiva emanava de seu corpo, Léo estava acuado na parede. Assim que ela o soltou, ele saiu rápido porta afora. Ela voltou pro sofá ao meu lado e, vendo que eu estava adormecida, se aninhou novamente para dormir.

Soltei a roupinha de bebê que eu segurava. Amora deitou-se em cima dela, enchendo-a de pelo. Continuei olhando para o teto do quarto, esperando que o sono viesse. Aquela noite não consegui dormir.

31.

A porta do guarda-roupa bateu com força fazendo Amora pular de susto na cama. Passados alguns segundos, ela desceu e veio me acompanhar no desespero enquanto eu vasculhava insistentemente as portas do armário. Na prateleira mais alta, uma caixa grande e pesada foi retirada por mim enquanto a gata observava a tudo atenta e tentava compreender o que é que poderia haver de tão interessante numa caixa, a ponto de acordá-la de seu sono de beleza.

Caixa no chão, observei por um momento, incapaz de abrir. Aquela era a verdadeira caixa de Pandora. Tudo o que restou dela estava ali, tudo que antes se espalhava pela casa, o que não eram livros com que escolhi ficar, todo o resto estava ali, em papelão. E agora era hora de exumar corpos. Ainda atordoada pela visão da roupinha de bebê que estava no meio das minhas coisas e de Ana, eu precisava saber mais sobre mim, sobre tudo e, com certeza, aquela caixa podia me contar segredos, não só sobre Pan, mas sobre Paola. Minha tia sempre guardou alguns pertences importantes de minha mãe, eu os vi algumas vezes durante a vida, nunca com muita atenção.

O cheiro que emanava dos cadáveres era de mofo e incenso de jasmim, que era o favorito de Pan e eu nunca tive coragem nem de queimar, nem de jogar fora, então guardei ali. Minhas narinas se impregnaram do aroma e meus olhos se encheram de água. Sem raciocinar direito peguei a primeira coisa que meus dedos encontraram.

Minha cabeça doía, minha respiração não entrava em compasso e minhas mãos suavam, o objeto que eu segurava era uma caixa vermelha aveludada, dentro dela um anel de ouro. As imagens vinham como borrões, aparições fantasmagóricas, meu coração acelerado, meu cérebro confuso. Pan apareceu sentada na cama, nas mãos a caixinha, seus olhos cravados no chão, o som da sua respiração era alto, seu coração, no entanto, não batia tão rápido quanto o meu. Ela permaneceu lá, quase como uma estátua, pelo tempo que pareceu durar uma eternidade e só se moveu quando uma mulher entrou pela porta enrolada numa toalha, o corpo ainda úmido, cabelos encharcados. Ela vinha cantarolando, mas quando avistou Pan com a caixa na mão, parou imediatamente. Demorei um pouco para me lembrar de onde a conhecia. Era a namorada de Pandora que um dia apareceu na Caixa.

Ela se sentou ao lado da minha tia e segurou a caixa junto com Pan.

— Faz um mês que eu te pedi em casamento. Você tem uma resposta?

Elas se olharam profundamente, como eu jamais vi minha tia encarar alguém, depois se beijaram e temi presenciar o que não deveria. Nunca ouvi Pan sussurrar, mas agora sabia que era possível:

— Eu te amo, mas não posso. — Pan soltou a caixa na mão da namorada, que parecia nada surpresa e muito desolada. Ela empurrou a caixa de volta e beijou Pan devagar.

— Fica. Se você mudar de ideia, vai ser mais fácil colocar no dedo se estiver na sua casa. — O sorriso dela era incrível. Algo me dizia que eu gostaria muito de tê-la na minha vida.

— Laila, eu te amo muito. Mas eu tenho responsabilidades...

— Você tá falando da Vic. Ela pode ser minha responsabilidade também.

— Não, não pode. Ela é minha sobrinha e ninguém mais pode arcar com tudo o que envolve criá-la.

— Ela é uma menina de dez anos, Pan, não é uma bomba atômica. — Vi os olhos da minha tia marejarem e ela desviou a atenção da namorada e voltou-se para a caixinha vermelha em suas mãos. As duas se abraçaram, em silêncio, e a caixinha permaneceu fechada.

Quando voltei para o quarto, meu coração já tinha acalmado, chorei abraçada em Amora sentindo o cheiro de jasmim.

32.

Eu possuo uma vasta coleção de *déjà-vus*. Mil vezes experimentei a sensação de já ter vivido alguma situação ou de ter estado em algum lugar em que nunca estive de fato. Um sintoma de ser quem eu sou. Sempre tive receio de compartilhar meus pensamentos e impressões, com medo de que alguém percebesse que havia algo errado comigo. Enquanto cresci, guardei comigo alguns segredos e achei que todos estivessem profundamente escondidos dentro do meu peito, que ninguém mais os conhecia. Aparentemente tenho me enganado todo esse tempo.

Nunca imaginei que Pan soubesse de mim ou de Paola, muito menos que ela tivesse aberto mão de sua vida para criar a filha da sua irmã morta — ambas *demônias*, segundo Léo. Eu queria poder gritar o nome dela e perguntar a ela, entender por que me escondeu que sabia de tudo, mas eu não precisava dela para compreender seus motivos, eles faziam sentido, eles me faziam sentir mais culpada, eles me faziam amá-la ainda mais, se é que isso era possível.

O sol batia forte no meu rosto àquela hora da manhã, fiquei deitada na rede desde o nascer do dia. Samara preparava o café da manhã, o cheiro de bolo invadia toda a casa. Ana e Pan adorariam estar aqui conosco.

Ontem estivemos no hospital, dei banho de esponja em Ana enquanto cantarolava *E fosse mais bike que carro, mais abraço que esbarro, mais horas de colchão*, uma das nossas canções favoritas e um dos últimos shows a que tivemos a oportunidade de ir antes que ela entrasse em coma. Contei para ela que estava tentando algo novo para que ela pudesse voltar para casa. Pedi desculpas por não estar vindo como antes, todos os dias. Torci para que ela pudesse me ouvir. Agora, deitada ao sol, eu observava Amora correr pelo quintal, brincando com uma folha, e sentia mais do que nunca saudade das mulheres da minha vida. O celular apitou, André: *Ela está ótima, cada dia mais linda, disse que sente sua falta.*

Respirei fundo e pedi perdão mentalmente por estragar a vida de todas as pessoas que ousaram ficar a meu lado. Por uma delas eu não podia mais fazer nada, mas por Ana eu ainda tinha chances. Ali, queimando ao sol, eu absorvia sua força e me sentia energizada.

Eu vou te buscar, amor.

33.

Minhas mãos suavam, todo o quarto estava preparado, no banheiro velas e duas taças de vinho esperavam Ana chegar em casa do trabalho. Tinha ido fotografar um casamento bem no dia do nosso próprio aniversário. Dois anos. Sete ao todo. Decidimos por casar no mesmo dia em que começamos a namorar, assim corríamos menos risco de esquecer datas especiais. Recostei minha cabeça na banheira, a água estava quente, um pouco acima do que eu esperava, sentia meu corpo doendo de um jeito gostoso, antecipando o efeito que Ana causaria em mim. Acordei com o corpo de Ana pressionando o meu sob a água, sua boca no meu pescoço, a taça de vinho pela metade.

— Feliz dois anos de casadinhas, amor — balbuciei algo parecido.

Ela levantou os olhos castanhos para mim e me fez arrepiar, daquele jeito que só ela era capaz de fazer com uma olhada. Jamais entendi como funcionava essa sedução pelo olhar, já que eu não conseguiria nem se treinasse.

— Feliz sete anos, amor... — ela disse isso afogada nos meus seios. Daí em diante eu me lembro do vapor e de estar tão molhada que acreditaria se aquela banheira já não fosse mais de água. Levantamos da banheira e fomos para a cama pingando.

Mais tarde, enquanto eu contemplava Ana adormecida, respirando tranquila, levantei e fui preparar um petisco para quando ela acordasse. Contudo, as *bruschettas* que fiz estragaram sobre o balcão enquanto eu ligava para a ambulância.

34.

Respirei fundo e senti impregnado nas minhas narinas o cheiro de baunilha do perfume novo de Ana.

— Nem acredito que você tá aqui — eu soltei, aliviada. Ana beijou minha bochecha e se aninhou no meu corpo nu.

— Foi você quem me mandou embora, lembra?

Meu peito sentiu a pontada. Eu sabia que a culpa era minha, que ela jamais tinha desejado ir. Eu estranhava o corpo diferente de Ana apesar de ela ser, em essência, a mulher que eu conhecia. Estava com o cabelo trançado, no meio das tranças seus fios naturais escuros se misturavam com tons mais claros e terrosos, braços mais fortes. Linda. Levantei, peguei a câmera dela e tirei uma foto:

— Eu nunca te fotografo. E você tá linda nesta luz.

Uma das únicas fotografias da vida que consegui captar sem desfocar e sem errar completamente o enquadramento, Ana até elogiou e disse que eu já podia trabalhar com ela. Sentada na cama, ela amarrou suas tranças, o corpo nu iluminado pela luz que vinha do banheiro, sombras e formas desenhavam a mulher que eu mais amei na vida e que agora voltava para casa mais irresistível do que nunca, livre e mudada. Ela me contava empolgada do curso de fotografia que fez em Dublin, das novas técnicas, dos estudos teóricos sobre história da fotografia e de como ela queria um estúdio em casa para revelar suas fotos. É magnífico observar quem a gente ama falar sobre assuntos que lhe interessam, o coração batia mais forte. A saudade que eu senti de ter a luz de Ana iluminando os ambientes não era nem possível mensurar. Eu sabia que ela tinha outro relacionamento na Irlanda e que ainda estava aparando as pontas enquanto estava comigo ali, me sentia mal por Luiza, a namorada de lá, mas não conseguia negar que estava feliz por tê-la de volta.

— Me perdoa.

Eu não tinha calculado dizer aquilo, Ana se assustou a princípio e depois seus olhos pousaram sobre mim com tristeza e pena:

— Nós conversamos, eu já disse que tá tudo bem. Eu imagino como tava a sua cabeça. Eu também senti a morte de Pan e ela não era da minha família.

Ouvir o nome dela ainda doía. A ferida maior, no entanto, era a culpa por ter feito mal a ela, que definhou e foi perdendo aos poucos suas lembranças e sua identidade, provavelmente por minha causa, uma esponja ambulante. Eu tinha medo de fazer o mesmo com Ana, mas agora estava mais forte, mais focada e com um pouco mais de controle das absorções.

— Mesmo assim, Ana... me perdoa. O que eu fiz com você, eu te ignorei, eu deixei uma parte da gente morrer também...

Ela pegou meu rosto com as duas mãos e aproximou-se, eu via de perto seus olhos grandes, ela secou uma ou duas lágrimas que teimaram cair:

— Nada morreu. Ouviu? E, se morreu, a gente ressuscita.

Encostamos os lábios desejando o beijo, mas no meio virou sorriso.

35.

Na noite anterior eu dormi chorando e acordei com os olhos ardendo. Treze de dezembro. Era aniversário da morte de Pan, um ano que ela tinha partido. Eu me perguntei o que eu tinha feito com a minha vida naqueles doze meses: acabei com minha relação, adoeci, comecei a beber desenfreadamente e a transar com qualquer mulher que demonstrasse interesse, absorvia memórias sem critério aparente e no meio do caminho me perdi. A única coisa boa dessa bagunça toda foi ter conseguido desenvolver melhor a absorção de memórias, isso tudo a custo de fazer mal a muitas pessoas. Talvez se Ana estivesse por perto eu não tivesse conseguido tal façanha. Sabia, contudo, que os fins não justificavam os meios. Não vou ser maquiavélica. Ademais, eu não sabia mais quem era. Tinha praticamente abandonado a Caixa. Pan com certeza estava me xingando, de onde quer que estivesse.

Me arrastando pela casa bagunçada, eu procurava Amora desejando um carinho e dar um cheiro naquele pescoço cheiroso. Qualquer afeto agora seria muito bem-vindo. Sentei na rede chamando a gata, depois de alguns minutos desisti e fiquei olhando uma abelha que procurava uma flor no jardim, mas não ia encontrar nada, todas as plantas tinham morrido, eu tinha descuidado de tudo totalmente.

Eu estava vivendo um luto duplo, por Pan e por Ana. Sentia a falta das duas tanto quanto sentia falta de mim mesma, aquela que habitou meu corpo, a mulher que me tornei não era quem eu aspirava ser. Levantei e comecei a mexer no jardim, arranquei o mato morto como se junto com as raízes secas eu estivesse tirando tudo o que deixei desandar. Sujei meu rosto de terra secando o choro que insistia em correr como se fosse cachoeira, eu nem fazia mais força, não soluçava, só chorava.

    Jardim limpo, praticamente sem plantas e flores, a abelha já havia desistido e partido em busca do néctar de outro lugar menos árido, Amora surgiu de dentro de casa, provavelmente estava dormindo enquanto eu a procurava. Subiu na minha coxa e se esticou até encostar a cabeça na minha bochecha, seu jeito de me afagar. Agora só faltava limpar toda a casa, organizar a Caixa e aí viria a parte mais difícil: dar jeito na bagunça dentro de mim.

36.

> oi, ana. desculpa te mandar essa mensagem assim do nada
> 16h56

> pedi seu número pro dé, espero que tudo bem...
> 16h56

> ah, é a vic
> 16h57

>> Oi, Vic! Tudo bem o André dar meu número, sem problema! Quanto tempo, né? Como você tá?
>> 18h01

> eu to bem. e vc?
> 18h04

>> Tudo ótimo! Você tá bem mesmo? Tem certeza?
>> 18h05

> eu vou ser direta, tudo bem se eu te mandar um áudio?
> 18h06

>> Claro, mas só vou poder ouvir daqui a pouco
>> 18h10

> ▶ ———— 10:05
> 18h30

> Nossa, doeu um pouco haha
> 20h00

> Ouvir sua voz
> 20h00

me desculpa :(
20h01

> Não posso te mandar áudio agora
> 20h05

> Não esperava receber essa mensagem
> 20h05

me desculpa, de novo :(
20h06

> Não foi uma reclamação
> 20h10

> Queria te dizer que a minha vida é outra hoje e preciso de um tempo pra pensar em tudo o que você me disse, você se importa?
> 20h15

jamais! vc tem todo o direito. queria te pedir desculpas mais uma vez por mandar isso assim
20h15

mas é que eu sinto muito a sua falta
20h16

e te amo
20h20

> Eu volto a te chamar, ok?
> 20h30

Tá bem!
20h30

> eu preciso dormir, amanhã cedo tenho aula. Mas brigada por vir falar comigo...
> 20h31

> E desculpa por não conseguir te responder agora...
> 20h32

não agradece, eu fiz isso por mim, acho que tô sendo egoísta haha
20h32

depois me conta sobre as suas aulas!
20h33

> Pode deixar!
> 20h33

> Saudades
> 20h38

eu também sinto saudades
20h40

demais
20h40

37.

— Amora, vamos tirar uma foto pra mamãe das flores que nasceram na bromélia?

Amora miou baixinho porque sabia que eu precisava de uma resposta, ainda que não conseguisse decifrar a língua misteriosa dos gatos. Andava fotografando tudo pela casa para mostrar à Ana: a pitangueira carregada, a gata rolando no tapete, o prato de nhoque que eu saboreei na janta, os livros novos que chegaram à Caixa. Ela me mandava as fotos que fazia no curso de fotografia, fotos maravilhosas tiradas no Temple Bar e em Cliffs of Moher, toda vez que ia ao mercado fotografava as compras e eu ficava chocada com o preço baixíssimo de tudo, todo dia tinha ao menos uma foto do rosto lindo dela e meu coração derretia.

Apesar de conversarmos sempre, ela nunca mais tocou no assunto que eu trouxe no primeiro dia. Nunca respondeu o áudio que eu mandei dizendo que estava arrependida de tudo e que a queria de volta, nunca disse *eu também te amo*. Eu não toquei mais no assunto. Era o suficiente tê-la de volta na minha vida, ainda que de longe, mesmo que ela não estivesse disposta a me perdoar. Naquela manhã, fiz café e comi uma torrada com geleia de amora enquanto observava as plantas no jardim. Aí vi a bromélia cheia de florezinhas amarelas e pensei *Ana tiraria uma foto linda e ia amar ver isso*, então procurei meu celular pela casa para poder mostrá-la. Para minha surpresa tinha um áudio enorme de uma Ana profundamente magoada que dizia mais ou menos o seguinte:

— Vi, eu tô com algumas coisas presas e preciso falar. Quando você me procurou duas semanas atrás eu fiquei assustada, culpada e feliz. Meu coração balançou e eu confesso que não esperava sentir isso, nessa intensidade. Quando você me mandou embora, eu fiquei desolada, mas nossa relação não andava bem, você me tratava como se eu não estivesse ali e eu senti pena, preocupação e depois muita raiva. Decidi vir pra cá visitar o Dé pra passar um tempo, desanuviar e tentar esquecer um pouco. Por vários motivos, acabei ficando. Pra estudar e pra fazer minha vida longe de você. Acontece que eu me envolvi com alguém aqui — meu coração parou de bater nesse momento, tenho certeza — e estamos juntas há um tempo, o nome dela é Luiza e eu não tenho sido honesta nem com ela e nem com você. E eu não quero mais fazer isso. Se você estivesse falando comigo pra que fôssemos amigas não teria nenhum problema, mesmo você sendo minha ex, mas você me procurou porque tá arrependida, você disse que me ama... E mesmo que eu te ame de um jeito que nem eu achei que ainda amaria, eu também tô muito puta com você. Você só apareceu de novo quando me quis de volta. Você poderia ter me mandado notícias de Amora, notícias *suas*! Você simplesmente desapareceu e eu só sabia que estava tudo relativamente bem porque o André me dizia que você tava viva e, isso, eu jamais vou poder perdoar. Eu tenho amado falar com você, eu tenho saudades, eu admito estar mexida, mas eu não quero falar com você um tempo. Eu preciso colocar minha cabeça no lugar, conversar com Luiza e decidir o que é melhor pra mim, já que você fez o mesmo sete meses atrás. Talvez essa não seja a melhor resposta ou a que você esperava de mim, mas é a que eu tenho agora e você merecia saber em respeito a tudo o que nós tivemos.

Meu cérebro parou de funcionar depois de ouvir o áudio. Durante os minutos em que estive ouvindo, meu corpo experimentou calor e frio, e meu coração acelerou e parou de bater diversas vezes. Eu respondi *Você tem toda a razão. Me desculpa, de novo.*

Tirei a foto da bromélia, mas não mandei para ninguém. Não ouvi notícias de Ana por um mês, até que ela bateu na minha porta cheirando a baunilha.

38.

Samara e eu caminhávamos no parque com Amora. Eu tinha acostumado a gata a andar na coleira e às vezes saíamos de casa para que ela pudesse aproveitar outros espaços. Paramos debaixo de uma árvore, estendemos uma canga e colocamos os lanches ali, bem no meio das outras pessoas que também decidiram fazer piquenique no domingo de sol.

Junto das maçãs e das pitangas, do chá de hibisco e do peixe que eu separei para Amora, estava uma caixa com pertences de Ana, mais um dia de treinamento começava. Eu tinha sentido dificuldade em ler objetos que carregavam muitas memórias, os primeiros que li eram muito simbólicos de momentos específicos. Todo objeto podia guardar em si ao menos fragmentos de lembranças, contudo, eu não conseguia acessá-los tão facilmente.

— Vic, você tá se esquecendo dos preceitos básicos de desmemória: como você faz pra escolher o que você vai desmemoriar? — Sami mordeu uma maçã carnuda.

— Eu procuro pela sensação que eu quero encontrar nas memórias, nem sempre elas estão tão explícitas...

— Sim, e às vezes isso depende do estado de espírito que a pessoa está, certo? A vítima ou nós mesmas. OK, com objetos é a mesma coisa. — Sami levantou a maçã na altura da testa, fechou os olhos e continuou:

— Essa maçã guarda a lembrança mais recente da minha mordida, depois, do trajeto até aqui, de ser escolhida pelos seus dedos, de ter passado na mão de tantas pessoas antes (espero que você tenha lavado ela), de ser carregada num caminhão escuro, de ser parte de um todo maior — uma macieira. Entendeu?

— Então é cronológico?

— Dizer isso seria simplificar algo extremamente complexo, mas vamos entender como cronológico. Se você estiver buscando por cronologia, é isso que você vai encontrar. Se você buscar sensações, o mesmo vai acontecer. Percebe?

— Samara encarou a maçã que começava a escurecer no local da mordida. Olhou as manchas escuras e disse:

— A memória é algo incrivelmente enigmático, tipo Harry Potter e o Enigma de por que minha cabeça guardou o nome da substância que faz as maçãs escurecerem: benzoquinona. — E continuou a comer a fruta devagar.

Fazia sentido: eu tinha mais controle do que eu imaginava. Iria buscar nos objetos do mesmo jeito que eu fazia com as pessoas: por sensações ou pela ordem cronológica. Às vezes sensações eram mais úteis, mas também mais perigosas, dependendo de como eu estivesse emocionalmente. Foi assim que fui parar na memória de Ana se despedindo de Luiza.

Abri a caixa com pertences da infância de Ana: eu precisava compreender melhor quem ela tinha sido quando criança. Com certeza encontraria muitas referências a isso quando entrasse em sua mente — uma teoria de Sami, já que, a bem da verdade, não fazíamos muita ideia do que eu poderia encontrar.

Na caixa, a primeira coisa que me saltou aos olhos foi uma fralda branca com pequenos dinossauros estampados. *OK, vamos lá. Cronologia primeiro.* Concentrada, toquei no tecido e procurei pela memória mais antiga que guardava em suas fibras. Me imaginei cavando fundo. Vi um bebê num berço, era Ana e seus cabelinhos cacheados, uma sensação de paz me invadiu. *OK, vamos pras emoções agora. Medo.* Uma Ana de mais ou menos três anos de idade andava no corredor de casa, fralda nas mãos, quando sentiu algo gelado em seu ombro: uma lagartixa pequenina como ela mesma, um bebê. Ela saiu correndo, o bichinho caiu no chão e subiu rapidamente parede acima. Voltei para o gramado com a lambida de Amora na minha mão. O peixe tinha acabado, ela queria mais.

— Como estamos?

— Acho que descobri por que Ana tem fobia de lagartixas.

— Essa é a minha garota! — Samara estava deitada na canga, colocou o chapéu que usava em cima do rosto, se escondendo da claridade do parque.

Parti para o objeto seguinte: um mordedor em formato de gatinho. Ao me concentrar, só uma memória realmente forte: numa loja de brinquedos, Ana passa pela vitrine e avista o brinquedo, ela entra, compra e a vendedora pergunta se é para presente:

— Ah, não... não precisa embrulhar.

— Vai dar pro seu filho?

— Não tenho crianças. Quem sabe em breve. — E abriu um sorriso enorme, que me fez sentir o coração dela cheio de esperança.

Depois, mordedor na sacola e acabou.

Fiquei encarando o brinquedo de borracha um pouco confusa com o que havia visto. Ana não falava sobre ter filhos. Não sabia que ela queria. Não fazia sentido estar casada com alguém e ter um relacionamento longo como o nosso e não saber que sua mulher quer ter filhos. De repente, senti um frio no peito como se tivessem substituído meu coração por um iceberg: talvez ela tivesse medo de criar um filho ou filha comigo por perto.

Larguei o gato na caixa e tampei, Samara dormia profundamente e Amora agora estava aninhada em sua barriga. Tomei chá de hibisco me perguntando se um dia eu seria capaz de viver sem amedrontar as pessoas perto de mim.

39.

Ana apareceu na livraria no fim do expediente com duas caixas enormes nas mãos, mas só consegui reparar em como ela estava incrivelmente linda. Desde que havia retornado da Irlanda eu percebi estar me apaixonando por ela de novo. O amor que eu sentia existia quase intacto, mas eu estava conhecendo uma outra versão — e ela me agradava demais.

— O que é isso, menina?! Você quer ajuda?

Ela gritou *Não!* e passou voando para dentro de casa, me dando um beijinho rápido. Eu terminei de fechar o caixa, guardei livros e corri curiosa atrás dela.

— Amor, o que você trouxe?

Minha pergunta foi interrompida por Ana cantando parabéns e trazendo em mãos um bolo Romeu e Julieta, em cima duas velas com grandes e chamativos números 2 e 5. Eu soprei as velas, passei o dedo na cobertura de goiabada e beijei a boca de Ana, sem entender nada, mas amando a surpresa.

— Eu não tava aqui no seu aniversário, eu sei que faz um mês, mas queria comemorar com você com um bolo. Achei que você iria gostar desse sabor. — E abriu um sorriso que, para mim, significava tudo. Ali começamos a tradição de bolos de goiabada e cream cheese. — Também queria aproveitar pra entregar seus presentes.

— No plural?! — Pulei no sofá feliz da vida.

— Sim... eu comprei pra você quando estava lá em Dublin.

Eu não falei nada, mas acho que Ana leu minha expressão confusa e feliz. Meu coração estava quente. Ela se sentou do meu lado e colocou no meu colo um saco de tecido verde bem pesado.

— Enquanto estive lá eu encontrei várias coisas que você iria gostar e, apesar de tudo, eu comprei todas elas. — Ela riu um pouco triste. — Algumas eu não vou negar que dei de presente pra Luiza, mas a maioria está aí. Eu guardei pra você.

Coloquei o saco de lado e a abracei, ficamos assim um ou dois minutos, sentindo o cheiro do cabelo uma da outra, a textura da pele, o calor do corpo, até que nossas bocas se encontraram e eu fiquei tão molhada que desejei beijar outros lábios. Ali mesmo no sofá eu ganhei a segunda parte do meu presente de aniversário de vinte e cinco anos. Foi incrível.

40.

— Sami, não é possível, cara, como eu não consigo identificar outras pessoas como a gente? — eu dizia isso olhando a TV depois de Samara dizer que muita gente — inclusive famosos — também desmemoriavam.

— Você é muito nova e inexperiente, com o tempo você vai *sentir* que tem outro chupim por perto. — Ela voltou para a cozinha gargalhando tão alto que Amora deu um pulo.

— Eu sou muito *burra*, óbvio que várias pessoas conhecidas devem ter essa habilidade. Mas a gente sempre acha que é *único* — incrédula com minha ingenuidade, fui até a cozinha ajudar Samara a preparar o almoço e deixei a TV rodando um show do Queen.

— Você não tem ideia das coisas que as pessoas fazem com nossas habilidades. Tem gente que usa pra benefício próprio, porém inofensivo, outras nem tão inofensivo assim. — Ela segurou a faca com que cortava cebolas como se fosse me golpear. — Por exemplo, certas religiões que conquistaram territórios matando e desmemoriando todo mundo, no intuito de destruir culturas e deuses pagãos.

Depois desse comentário eu passei dez minutos sentada em cima da mesa da cozinha, olhando para o nada, simplesmente embasbacada com tudo o que saía da boca de Sami.

— E tem gente que fez disso um negócio! Tá cheio de empresas que prometem apagar a memória de eventos traumáticos ou mesmo de pessoas, completamente.

— Isso parece irresponsável e sinceramente *Brilho eterno de uma mente sem lembranças* já provou que dá ruim.

— Exatamente! Jim Carrey e Kate Winslet avisaram e ninguém quis ouvir. — Ela ria enquanto fritava as cebolas.

Minha vida teria sido muito mais fácil se eu soubesse identificar mais pessoas como eu, tudo seria extremamente mais leve e eu só percebia isso agora porque tinha Samara. Ela apareceu para me ajudar, veio a trabalho por um tipo de ONG que ajuda pessoas a controlarem suas necessidades de desmemória, mas acabamos nos aproximando muito e construindo uma amizade. Era incrível ter por perto alguém como ela.

— Samara, você nunca me explicou direito como funciona essa ONG.

— ONG é forte, eu só uso esse termo porque não sei como descrever melhor. Basicamente somos desmemoriadores que sofreram muito e que também aprenderam muito, e decidimos nos juntar para evitar algumas situações, por exemplo, a sua, ou a minha, com meu padrasto. — Ela fez uma careta quase imperceptível. — Temos o apoio de alguns investidores, pessoas poderosas e com dinheiro, que são como nós. Oficialmente somos uma organização que defende os direitos humanos. E não deixa de ser, né? Aí vamos viajando pra onde parece que precisam mais da gente. — Ela me olhou com pena e sorriu.

— Brigada por ter vindo. Mesmo. Não deve ser fácil largar sua vida pra resolver os problemas dos outros. — Senti meus olhos ardendo.

— Não precisa agradecer. E eu não tinha muita vida pra largar, digamos assim. Vivia muito sozinha. Agora eu conheço o país inteiro, até outros países, e também faço amizades. Então eu que tenho que agradecer, inclusive, por me receber tão bem na sua casa.

Comemos uma feijoada e, por um momento, esquecemos dos problemas. Éramos só duas amigas que estavam acostumadas a viver sozinhas.

41.

Já tinha visitado todas as memórias de infância de Ana que pude encontrar pela casa: sabia que ela tinha demorado para começar a andar, que sua primeira palavra foi carro — *cao*, na verdade —, acompanhei um monte de lembranças de escola e episódios de racismo pelos quais ela passou por ter a pele escura, pelo cabelo crespo que a mãe sempre tinha deixado grande, fazendo diferentes penteados; vi Ana adolescente cedendo à pressão de amigas e de todos os olhares tortos na rua, resolvendo que era melhor fazer uma progressiva, a mãe, militante e madura, tentando convencê-la do contrário, mas de nada adiantou. Só mais velha, já na faculdade, mais próxima do movimento negro, Ana resolveu que queria reconhecer seu cabelo natural e raspou a cabeça. Foi um dos dias mais felizes na vida da mãe dela.

Agora, eu olhava impassível o saco verde aberto na cama, que guardava os presentes que ela havia me trazido da Irlanda. Busquei cada um deles pela casa e, voltando ao passado, reuni todos novamente. Eu estava adiando tocar naquelas coisas fazia uma semana, esperava não ter que chegar àquele momento. Viver coisas do período em que estivemos separadas era dolorido, apesar de saciar uma curiosidade antiga. Da última vez, acabei presenciando coisas que não me cabiam ver. Ainda assim, eu sabia que era importante saber de tudo sobre a vida de Ana com Luiza, com certeza eu encontraria vestígios do relacionamento na mente dela. Sami estava me preparando para tudo o que eu possivelmente encontraria, muitas coisas não eram tão agradáveis ou tão fáceis de lidar quanto uma ex da sua atual. Não vamos fingir que lésbicas não estão acostumadas a lidar com essas coisas, muito por causa do rebuceteio.

Na cama, Amora dormia pesado, a pata cobrindo o rostinho, de vez em quando movia a boca como se estivesse tomando água. Amava quando ela acordava miando, como se estivesse sonhando. Sempre me perguntava com o que ela sonhava. Deitei ao lado dela, acarinhando seus pelos e ignorando o museu de memórias ambulantes a um palmo de distância. Achei melhor me aninhar com Amora e tirar um cochilo, acordei assustada procurando Ana do lado da cama, depois procurei a gata e, não achando nenhuma das duas, me abracei ao saco com presentes.

42.

O cheiro forte de café e canela limpou minhas narinas, minha boca encheu-se de água antes de sentir quente o líquido descendo pela garganta. Não via nada, só a escuridão dos olhos fechados, nos ouvidos o som de alguma música ambiente que não conhecia e alguma conversa dos outros clientes. Ao abrir os olhos, eu observava Ana sentada à mesa de um café cheio de tons terrosos. Sabia que ela deveria ter escolhido aquele lugar pensando nas fotos que poderia fazer, por isso não me assustei quando a vi tirar a câmera da bolsa e fotografar o ambiente e seu café delicioso em cima da mesa.

Ana estava ansiosa, como quem espera por alguém. Logo, eu também fiquei ansiosa, porque a chance do alguém ser Luiza era quase de 100%. Eu não conhecia aquele lugar, o menu estava em inglês e os cabelos de Ana estavam trançados. Respirei fundo e tentei me acalmar, mas quando Ana abriu aquele sorriso que eu conhecia muito bem meu coração voltou a bater rápido. Ela se levantou e abraçou aquela mulher tão alta, e as duas permaneceram daquele jeito um bom tempo. Senti, ao mesmo tempo, um aperto no peito e uma alegria em saber que ela estava feliz. Ela merecia se apaixonar depois de tudo o que eu tinha feito com ela. Na verdade, ela merecia — mesmo que eu não tivesse feito nada.

Observei, durante bastante tempo, a conversa fluir entre elas, pareciam estar se conhecendo, começo de namoro, o tempo todo sentia o perfume de Luiza na roupa de Ana, o cheiro impregnou-se também em suas tranças. Ali, Luiza tinha os cabelos castanhos e muito curtos espetados para cima, diferente da outra vez que a vi. Ela era linda, embora talvez fosse apenas a percepção de Ana. Ainda assim, era envolvente, eloquente e interessante. Olhando as duas de fora, eram um lindo casal. Na hora de pagar, Ana comprou uma caneca da cafeteria, igual a que ela estava bebendo café minutos antes, colocou na bolsa e sorriu para Luiza:

— É pra uma amiga.

Então, elas saíram porta afora e eu me vi segurando a caneca em que se lia *Dublin* junto a uma paisagem da cidade. Aquela tarde eu fiz café e bebi na caneca, na tentativa de criar novas memórias para ela.

43.

Quando eu era pequena, achava que se ficasse tempo demais dentro da água, fosse do banho, fosse do mar, iria envelhecer completamente, cabelos brancos, pele toda enrugada, não apenas os dedos. Por isso, toda vez que começava a ficar com as pontas dos dedos murchas eu saía rapidinho e me enxugava, evitando que a manchete do dia seguinte fosse *Menina de cinco anos envelhece precocemente após banho prolongado*. E sair da água não era fácil, eu me sentia bem quando estava submersa, via minhas mãos e braços maiores do que eram e pensava que era assim que eu seria quando ficasse mais velha. Para mim, a água era um portal para o futuro, eu conseguia me vislumbrar adulta, mas se abusasse sofreria graves consequências.

Hoje, me pergunto se meu rosto, iluminado pela fraca luz que vem da janela, um dia terá mais do que essas suaves marcas do tempo. Não sabia se podia envelhecer, quanto tempo levava para alguém como eu, não sabia o que esperar do meu próprio corpo. Era assustador não ter previsão sobre a durabilidade da sua casca. Sami tinha me contado que conheceu muitos de nós, o mais velho deles tinha cem anos — e cara de setenta. Ela sabia que existiam pesquisas sendo desenvolvidas sobre a saúde e a longevidade de desmemoriadores, mas ainda não tinha acesso aos resultados, era tudo extremamente secreto.

Aspirei lentamente o ar do meu quarto, olhos fechados, a luz me cegava. Eu me sentia viva, meu corpo estava forte, e eu, cada dia mais próxima de tirar Ana do coma. Eu ainda precisava aprender um pouco mais como controlar minha mente e detalhes sobre Ana, mas estava quase pronta. A possibilidade de encontrá-la novamente me enchia de alegria, mesmo nessa situação. Ela era minha família, a mulher que eu havia escolhido para envelhecer ao meu lado, ainda que não soubesse se envelheceríamos no mesmo ritmo — embora, talvez ela ganhasse de mim, já que a pele negra era muito mais resistente ao envelhecimento do que a branca.

Passei a mão nos meus cabelos, eles estavam enormes de novo. Senti saudade das mãos de Ana me fazendo cafuné enquanto dizia que precisávamos *dar um jeito no matagal*. Por um minuto, eu fingi que as minhas mãos eram as dela e quase pude sentir sua presença enquanto massageava a cabeça. Nos meus dedos, prenderam-se poucos fios de cabelo, entre castanhos, destacou-se um fio branco reluzente que me fez abrir um sorriso.

44.

Nós duas sempre mandávamos, uma para a outra, vídeos de propostas de casamento: surpresas que envolviam *flashmobs*, alianças em champanhe, corações por todo lado. Ríamos muito e chegávamos sempre à conclusão de que nada daquilo era o que queríamos. Por isso, quando conversamos seriamente sobre casar, já morando juntas há algum tempo, combinamos de comprar juntas as alianças e deixá-las em casa. Podíamos planejar surpresas a partir daí, mas a prioridade do pedido era de quem fizesse primeiro.

O que começou foi uma sucessão de falsos pedidos com *flashmobs* felinos — Amora dançando Bruno Mars sendo guiada por Ana —, jantares românticos à luz de velas, que a cada mordida do bolo fazia com que uma de nós mastigasse devagar com medo de quebrar os dentes e a outra tivesse que controlar o riso, cestas de café da manhã que chegavam de surpresa no meio do trabalho e tinham cartões bregas enfeitados. Um dia Ana chegou a contratar um Lovecar — quem sabe o que é isso vai ficar desesperado e imaginar por que eu me escondi dentro de casa enquanto a moça recitava poemas e chamava meu nome num alto-falante.

Ali, sentada na mesa de café da manhã, Ana comia uma torrada com geleia e eu preparava panquecas, Amora circulava minhas pernas e miava incessantemente pedindo qualquer petisco — que ela sabia que guardávamos no armário. Observei a nós duas comendo tudo devagar, como só o sábado de manhã podia nos proporcionar. Ana me contava sobre as fotos de um recém-nascido que havia feito e como morreu de medo de mexer no bebê, eu suava e parecia aérea, ela ficou levemente irritada por achar que eu não estava prestando atenção e, de fato, eu não estava. Lembro-me de estar profundamente nervosa e me concentrando para não a desmemoriar. Quando terminamos o café, ela ia se levantando para recolher e lavar a louça:

— Calma, tem mais uma coisinha pro café. Senta aí. — Levantei, rápida.

Então, me vi andando lentamente e colocando o anel dourado com uma pequenina zircônia na frente dela. Sem corações, sem música, sem cartão. Só larguei o anel na mesa com farelos de panqueca e um pingo de geleia e me sentei na cadeira do lado para observar a cara dela enquanto tentava entender. A cena que presenciei a seguir foi a de nós duas colocando as alianças nos dedos, rindo e chorando. Senti o gosto do meu beijo sabor amora pela lembrança de Ana.

45.

Mais lembranças tenho eu do que todos os homens tiveram desde que o mundo é mundo.
Funes, eu te entendo.
Pensando bem, talvez eu esteja mais ferrada ainda porque absorvo não só dos homens, mas de toda a humanidade mesmo. Me sinto tonta e perdida e, às vezes, esqueço onde estou ou mesmo quem sou. Já aconteceu de me olhar no espelho e não reconhecer meu rosto, me perguntei *Quem é essa sapatona no meu banheiro?* Tenho dentro de mim fragmentos de pessoas e, lentamente, eles vão formando mosaicos confusos.

A primeira vez que fumei maconha foi com Ana, tínhamos decidido plantar para que eu tentasse relaxar minha mente — sem absorver ninguém. Como a maconha dá esse efeito de amortecimento, achamos que valia a tentativa.

Naquele dia eu entrei numa *bad trip* e me tranquei no banheiro fugindo de Ana, com medo de fazer mal a ela sem querer, ela batia na porta me pedindo para abrir enquanto tinha um ataque de riso. Mais calma, das outras vezes consegui aproveitar a sensação de formigamento pelo corpo e deixar minha mente leve, sem me preocupar com um milhão de pessoas gritando nos meus ouvidos.

Uma das minhas atividades favoritas de fazer chapada, sem dúvidas, era transar. O toque na pele era mais sutil, tudo parecia amplificado, eu sentia tesão só de pressionar as coxas. Agora, fumaça subindo lentamente e construindo uma parede etérea entre mim e o livro que eu folheava, tomei o café e tentei dissipar da mente a ideia.

Eu lia novamente Emily Brontë, o livro de Paola. Nunca mais tinha tentado acessar memórias daquelas páginas, hoje decidi me arriscar novamente. O risco maior era ver algo indesejado. Descobrir outra faceta de minha mãe que talvez não fosse a imagem que eu tinha. Senti de leve as marcas das letras da dedicatória, me concentrei na pressão usada para marcar a tinta no papel, depois passei meus dedos na lombada do livro e me ative ao rasgo.

Uma forte sensação de *déjà-vu* se apoderou de mim. De repente, o livro foi arremessado em direção à minha cabeça, me abaixei instintivamente. *O morro dos ventos uivantes* acertou a testa de Léo e caiu com um baque surdo no chão do quarto. O cômodo não me era estranho, embora os móveis fossem diferentes. Algo naquele lugar me era familiar. Enquanto Léo berrava e gesticulava, eu encarava as paredes do quarto: ali era a Caixa! O quarto de hóspedes da nossa casa, que virou nossa livraria, era antes o quarto de Paola.

E por falar na minha mãe, ela passou rápida como um raio por mim e foi pra cima de Leonardo, que agora enchia uma mochila de roupas e coçava a testa onde o livro o tinha atingido. Eu me encolhi num cantinho entre a cômoda e a porta e observei apavorada:

— Cara, você é *realmente louca*, como você me acerta com um livro? — ele gritava na cara dela.

— Você não vai embora, Léo. Como você vai me deixar sozinha e *grávida*? — Paola tirava as roupas de dentro da bolsa e jogava em cima da cama.

Meu corpo inteiro tremeu.

— Eu não quero ter nada a ver com você ou com *isso aí* na sua barriga. Nem *você* quer!

Paola chorava muito, estava sentada na cama e tinha desistido de tirar as coisas de dentro da mochila dele. Só soluçava, o rosto vermelho, contorcido pela dor. Meu coração não estava processando vê-la ali, tão perto, os cabelos castanhos e compridos soltos e desgrenhados, a barriga ainda pequena, mas começando a aparecer. Eu já a estava matando lentamente. Aquela memória estava dentro de mim.

Leonardo se aproximou de Paola, abaixou-se e olhou bem nos olhos dela:

— Me desculpa, eu não quis dizer isso. Eu só tô muito bravo. Olha o que você fez comigo! — e apontava para a testa inchada e vermelha. Ela tentou abraçá-lo desesperada, enquanto pedia desculpas. Ele segurou seus braços impedindo-a de enlaçá-lo:

— Paola, eu não quero mais. Eu posso ajudar financeiramente a cuidar do bebê, mas quero ficar longe. Eu não tenho me sentido bem, nosso namoro é um caos e você me faz *fisicamente* mal. Eu sou só uma marmitinha que você carrega pra todo lado. Desculpa se eu nunca te disse isso antes e deixei a gente chegar nesta situação. Mas não dá pra ficar perto de você, você é *tóxica*.

Se antes os olhos de Paola eram cachoeira, agora eles continuavam líquidos, mas eram lava. Eu sentia de longe o ódio sair dela quando ele colocou uma alça da mochila no ombro e caminhou em direção à porta. Antes de tocar na maçaneta, ele parou, congelado. Ela levantou e tocou no ombro dele, o rosto encharcado:

— Você sempre diz as mesmas coisas.

Léo revirou os olhos e seu corpo começou a tremer, entrando em convulsão. Ela o deixou cair no chão lentamente e assistiu até o fim, quando ele parou de se debater, caído numa poça de mijo e baba. Ela recolheu a bolsa, tirou as roupas, guardou as limpas e colocou as outras para lavar no cesto, calmamente. Dois minutos depois, restava apenas o corpo imóvel do homem no chão e Paola a seu lado, chorosa. Eu não havia me movido. Nem que eu quisesse teria conseguido. Ele acordou, atordoado, confuso, não sabia onde estava. Ela segurou a cabeça dele em suas pernas e disse que ele tinha tido outra convulsão, mas que estava tudo bem. Então, ajudou-o a se levantar e disse:

— Vamos tomar um banho, amor.

Ele colocou o braço ao redor dela e agradeceu. *Não sei o que faria sem você.* Ela sorriu, triste.

Naquela noite eu escondi o livro na parte mais alta da Caixa e rezei para esquecer que um dia o havia encontrado.

46.

Ana fotografava discretamente as pessoas do parque com sua 50mm, passou alguns minutos focada numa menina linda de uns dois anos de idade que corria pela grama atrás de um cachorro. Depois, passou a fotografar casais, amigos e uma moça sentada ao longe, sozinha.

Ao lado de Ana, alguns pacotes com petiscos e pastas. Reconheci de longe a pasta de queijo brie que ela fazia. O cheiro entrava pelo nariz. Sentei na grama ao lado dela e fiquei observando o sol batendo em sua pele, o brilho dourado do seu rosto, o formato perfeito da sua boca. Como foi que um dia eu quis que ela fosse embora?

Ana se virou abruptamente e pegou, do meio das comidas, um livro com letras douradas gravadas na capa: *The well of loneliness*. Eu sorri enquanto ela folheava o livro e começava a ler, ela sempre soube que eu queria uma edição em inglês. Espiando por cima do ombro de Ana, eu lia com ela as primeiras páginas do romance, levei um susto quando ela fechou e decidiu pegar a câmera e conferir as fotos que havia feito. De repente, parou em uma foto e deu zoom, ficou observando durante um tempo e depois passou os olhos pelo parque, como se procurasse algo. Levantou-se devagar e foi em direção à moça sentada sozinha num banco, eu ia andando ao seu lado. Quando chegou perto dela, Ana desembestou a falar em inglês, pedia desculpas por ter fotografado a moça, mas afirmou que a foto tinha ficado linda. Eu observava a mulher de costas, mas levei um susto quando reconheci a voz que interrompia Ana:

— Você é brasileira? Tem um sotaquezinho! Com certeza *Irish* você não é, eu até consigo entender seu inglês. — E gargalhou.

Ana se arregalou e gritou *Sim!*, sentando-se ao lado dela e mostrando a foto. Era Luiza. Eu larguei o livro que segurava nas mãos e me levantei em direção à cozinha com Amora atrás de mim.

47.

— Alô, aqui quem fala é Monica, do Imperial Hospital de Caridade, eu preciso falar com a esposa de Ana Cristina Franco.
— Sou eu, pode falar, tá tudo bem?
— Senhora, precisamos que você venha até o hospital.
— Aconteceu alguma coisa?
— Fique tranquila, mas venha o mais rápido possível.
— Ontem mesmo eu estive aí e ela estava bem.
— O doutor Salvador está aguardando a senhora.

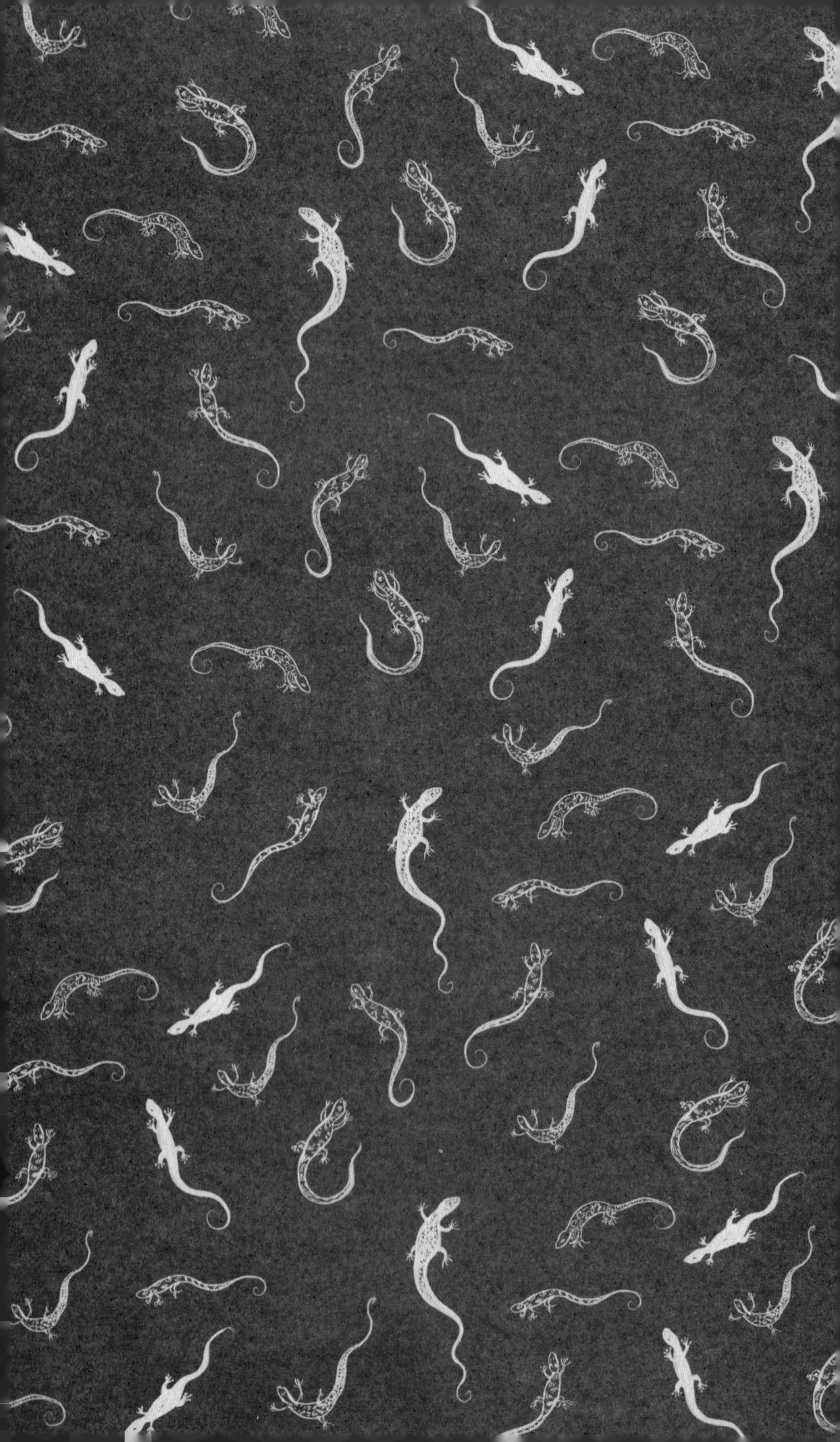

parte 2
labirinto

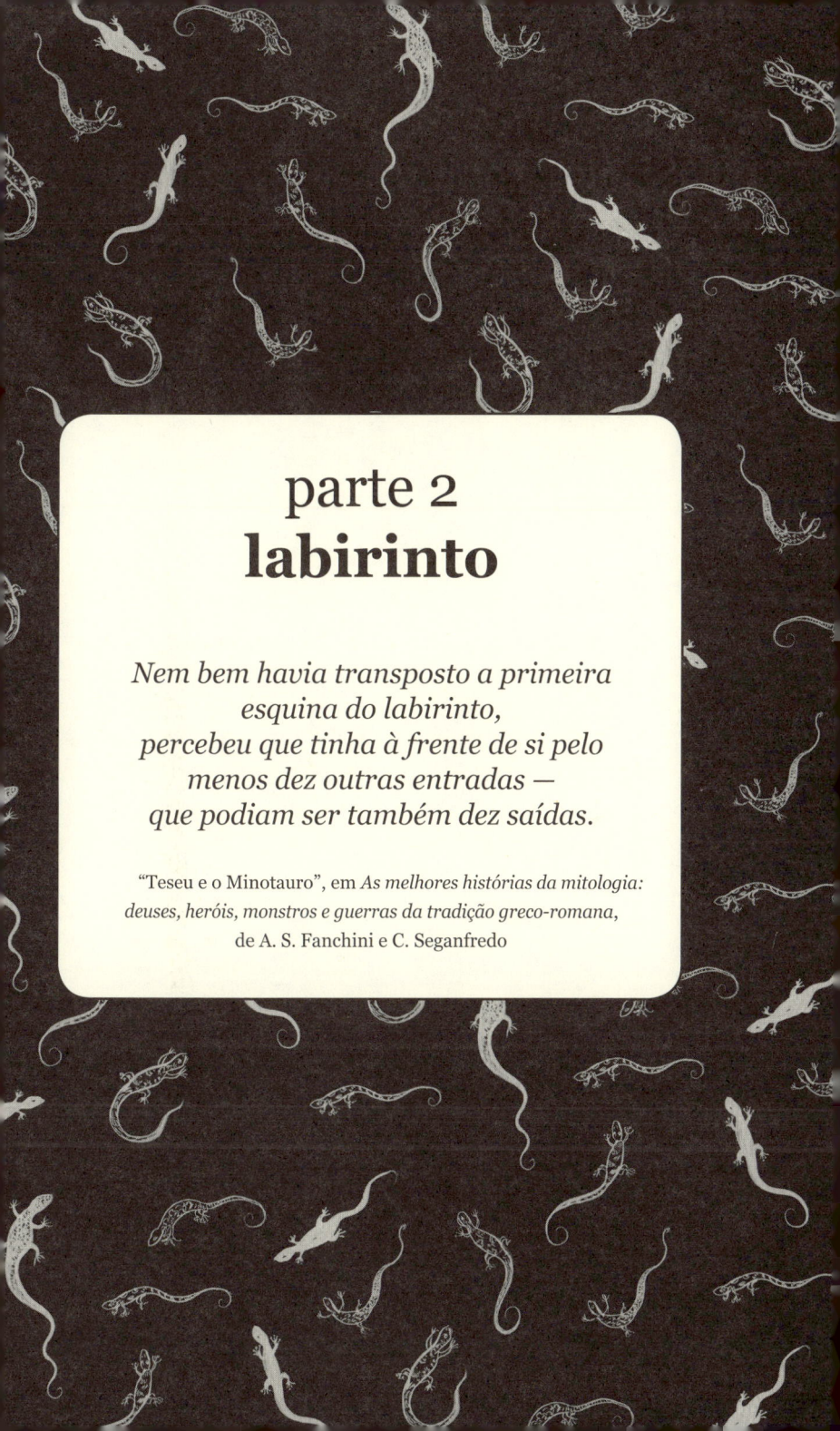

Nem bem havia transposto a primeira esquina do labirinto, percebeu que tinha à frente de si pelo menos dez outras entradas — que podiam ser também dez saídas.

"Teseu e o Minotauro", em *As melhores histórias da mitologia: deuses, heróis, monstros e guerras da tradição greco-romana*, de A. S. Fanchini e C. Seganfredo

1.

Eu não respirava direito, meu coração queria pular do peito e ir procurar um abrigo melhor em outro lugar, qualquer buraco servia. Samara andava de um lado para o outro da sala, Amora acompanhava com os olhos seus movimentos rápidos, ela balbuciava um milhão de coisas, bolando planos que eu não sabia como iríamos cumprir. Não havia nenhuma condição de eu sair mais daquele sofá, eu planejava ficar ali para o resto dos meus dias.
— Vic, me responde! — Sami agora tinha parado a sua maratona de dois metros e me olhava irritada.
— Eu não ouvi nada do que você falou, me desculpa. — Minha voz parecia não estar saindo de dentro de mim, eu nem sabia que ainda conseguia emitir sons.
A irritação dela passou e virou comiseração, ela se ajoelhou e se apoiou nas minhas coxas:
— A gente vai tirar a Ana de lá, mas você precisa reagir. — Amora agora havia se juntado a Samara e me encarava, parecendo exigir que eu fizesse algo.
— Eu não tô pronta. Eu mal sei desmemoriar, como eu vou *entrar na cabeça de alguém.*
— A gente nunca tá pronta pra nada, aprende isso. Eu sei que as condições não são as ideais, mas não tem mais tempo. Eu vou te ajudar. Fico aqui fora e se tudo der errado eu entro aqui — ela disse colocando as duas mãos na minha cabeça, aproveitando para me fazer um cafuné — e trago você de volta. A gente se conhece razoavelmente bem e eu tenho experiência, vai dar certo. Mas eu não posso tirar a Ana de lá.

Eu não sei absolutamente nada sobre ela, as chances de me perder lá dentro são enormes. *Você* vai.

Não conseguia responder. Sentia os quatro olhos na sala me atravessando, esperando que eu dissesse que ia conseguir, que ia dar certo, mas eu tinha acabado de ouvir do médico de Ana que ela estava mal, seu cérebro dava sinais de estar parando lentamente e eles não podiam fazer nada, já que não compreendiam sequer a causa disso tudo. Eu precisava do meu momento de luto, embora soubesse que não havia tempo para choramingar. Como não conseguia falar, só assenti com a cabeça e Samara levantou-se e começou a tagarelar todas as estratégias e aquilo que ela, de fato, sabia que eu encontraria. Dessa vez, eu prestei tanta atenção que fiquei enjoada do ir e vir dela.

— A cabeça de Ana tem mistérios e segredos como toda mente humana. Nós somos muito complexos e guardamos coisas que nosso consciente não sabe. Por isso, eu não posso te dizer como vai ser *exatamente* lá dentro, mas posso te garantir: Ana não vai deixar você encontrá-la facilmente. Se você achar que está fácil demais, desconfie. A mente dela é extremamente poderosa, do contrário não teria se fechado desse jeito pra se proteger, então ela vai perceber que você está lá e aí as armadilhas vão vir, embora eu não saiba te dizer de que forma. Mantenha a cabeça no seu objetivo, não se deixe desviar por nada, só procure por ela. Entendeu? *Nada* deve te desviar, eu não sei que artimanhas a mente de Ana vai preparar pra você, mas com certeza, te conhecendo extremamente bem, serão incrivelmente reais. Pra estar tanto tempo desacordada, a consciência dela deve estar em alguma espécie de cativeiro, procure por isso, ok?

— Eu posso anotar isso tudo?

— Seu caderno é sua memória, se vira, meu anjo! — Ela ria desesperadamente, meu estômago estava se revirando num misto de fome e nervosismo, sentia todo o suco gástrico dançando balé.

— Vou pedir comida pra gente, precisamos nos alimentar antes do resgate. — Samara colocou a mão na barriga e a outra na cabeça. Mais um dia desmemoriando entregadores de comida.

Ela saiu da sala e deixou apenas Amora, eu e meu medo gigante que tomava todo o espaço do sofá.

2.

Não dormi absolutamente nada. Olhei para o teto metade da noite, na outra metade encarei a parede. Não prestei atenção nem ao teto, nem à parede, e não conseguiria sequer perceber qualquer rachadura ou mancha na pintura. Meus olhos estavam abertos, mas eu encarava o desespero de ter nas mãos a vida de alguém. Só isso já serviria para me enlouquecer, mas esse alguém, ainda por cima, era minha esposa. Minha melhor amiga.

Agora, caminhando ao lado de Samara pelos corredores do hospital, meus olhos pararam na planta que havia ao lado do elevador. Era uma costela-de-adão. Ela precisava de água. Samara carregava nas mãos uma manta azul-bebê e batia o pé ansiosamente no piso branco. O excesso de luz no hospital fazia doer meus olhos, eu sempre preferi ambientes mais escuros ou levemente iluminados, inclusive para ler. Talvez por isso estivesse precisando de óculos.

Ao chegarmos ao quarto, meu corpo congelou. Ana estava na cama, mais magra do que nunca, a pele acinzentada. Lembrei-me dela sentada à luz do sol no parque na Irlanda, o brilho dourado em sua pele escura e meu corpo pareceu finalmente perceber que eu precisava ser forte. Estava decidida a tirá-la de lá. Não aguentava mais rever Ana em memórias — eu queria um *futuro* com ela. Ela estava há quase um ano naquele hospital, já era hora de resolver isso de uma vez.

— Vamo lá? — Samara tocou no meu braço me acordando dos meus delírios, ela me olhava carinhosamente e eu me senti ainda mais fortalecida.

— Vamo tirar minha mulher daqui.

— Agora sim, bebê! Vamo lá! — Ela puxou a poltrona de acompanhante para mais perto da cama de Ana, eu beijei a testa dela e proferi as três palavras que eu esperava em breve dizer pessoalmente.

Sentei na poltrona amarela e desconfortável, Samara me cobriu com a manta azul como quem arruma um bebê no berço e começou a repetir as coordenadas. Eu ficaria "dormindo", se tudo desse certo, por algumas horas, mas talvez minha percepção de tempo lá dentro fosse diferente, mais rápida ou mais devagar, dependendo da mente de Ana e de como a minha cabeça lidaria com os obstáculos. Eu tinha de me esforçar para permanecer por um tempo razoável — se eu passasse muito tempo desacordada, as enfermeiras desconfiariam e poderiam achar que eu estava passando mal, e aí me tirariam de perto de Ana e, consequentemente, meu corpo de perto da minha mente. Altamente desaconselhável. Samara se certificaria de manter o ambiente seguro e seria minha salva-vidas se tudo desse errado.

Fechei os olhos e me concentrei, tentando acessar a mente de Ana, mas só via um vácuo, não sentia a presença de memórias ou de sensações, parecia uma concha completamente oca. Permaneci assim durante um tempo que pareceram algumas horas, os passos suaves de Sami andando até a porta, conversando baixinho com as enfermeiras e então um cheiro de café. Depois disso, senti meu corpo adormecendo, quase a mesma sensação de estar chapada, e caí num sono profundo.

Acordei e estava no corredor do hospital.

3.

O corredor do hospital se arrastava à minha frente num comprimento tal que meus olhos não conseguiam enxergar nitidamente seu fim. O frio me fez arrepiar e uma tosse seca parecia reagir à fumaça de gás carbônico. Abracei meu próprio corpo procurando algum calor, mas minhas mãos e meus braços estavam congelados. Como eu tinha chegado ali? Enquanto caminhava pelo corredor, tentei me lembrar do que houve entre cair no sono e acordar no meio do hospital. De repente, parei. Eu tinha caminhado cerca de dez metros e estava novamente no início do corredor. Acima, na porta de entrada, o número 4 marcava o andar. Era ali que Ana estava internada.

Continuei andando, o sono deve ter me distraído. Olhava as portas procurando os números, e quando alcancei o quarto de Ana, girei a maçaneta e o quarto me levou novamente ao início do corredor. Minha cabeça girou e eu senti uma vontade enorme de vomitar. Procurei a planta costela-de-adão do lado do elevador para usá-la de balde. Depois de adubar sua terra com o café da manhã, observei-a viçosa, verde, de pé, nada se parecia com a planta à beira da morte que eu tinha visto horas antes. Observei os arredores, atentando aos detalhes: na parede, um calendário de junho de 2017. O mês em que Ana foi internada. Todo o hospital parecia também muito mais escuro do que realmente era e, ao longe, sequer havia luz no corredor gigante. Voltei a me arrepiar, um pouco de frio, muito de pavor.

De dentro do vaso da planta jovem e forte, uma pequena lagartixa saía e ia em direção à primeira porta do corredor.

Eu a observei caminhar rapidamente, então parar, como se estivesse me esperando. Quando dei um passo, ela voltou a correr com pressa, talvez assustada com a grande humana que vinha em sua direção, mas algo me dizia que ela estava me *guiando*. A lagartixa entrou debaixo da porta à esquerda e, antes que eu pudesse segui-la, senti um cheiro forte de lavanda, como o do sal de banho que usávamos em casa. Meu coração se encheu de alegria e eu olhei a porta ao lado, das frestas saía uma luz azulada e o doce aroma. Entrei naquele cômodo, impelida por algo que eu não soube dizer o que era.

Atrás de uma cortina de vapor, Ana estava na banheira da nossa casa. Aquele era *nosso banheiro*. Fiquei observando, assustada, sem saber o que dizer.

— Você não vai entrar? — ela perguntou olhando para a espuma que se formava, então levantou os lindos olhos castanhos para mim e eu senti minhas pernas cambalearem em sua direção. Automaticamente, meus dedos arrancaram a camisa de botão e a calça jeans que vestia, com os pés tirei os sapatos rapidamente e entrei na água morna, meu corpo se sentiu abraçado pelo líquido, como sempre ao ficar submersa. Eu observava Ana brincando com a espuma e espalhando em sua pele, agora nada acinzentada, mas profundamente brilhante, entre o branco da espuma e o negro do seu corpo. Uma pintura digna de museu.

— Caramba, que saudade...

Ela me olhou surpresa e sorriu, senti que aquele esticar de lábios poderia iluminar qualquer cômodo sem luz, o que eu era basicamente desde que ela entrou em coma. Lentamente deslizei meu corpo até ela, sentindo a textura da pele úmida pela qual eu me movia facilmente, nosso encaixe era tão perfeito que apenas estar com pernas e braços ao redor dela me deixava em transe.

— E esse mato? Vamo cortar? — Ana tirou um fio de cabelo que caía no meu olho, deixando um pouco de espuma na minha testa.

— Você pode fazer o que quiser — respondi totalmente entregue a ela.

Entre o tempo em que meus lábios encontraram os dela e minha língua pôde novamente sentir o gosto da sua boca, naquele momento em que se pausa o beijo, em silêncio, testas coladas, eu pensei: *Isso tá fácil demais*.

Ana me abraçou forte e, embora meu corpo quisesse se fundir ao dela, matar a saudade, meu coração começou a gritar.

— Amor, a gente precisa sair daqui. Tudo bem? Tá na hora de voltar, vem comigo? — Eu segurei as mãos dela nas minhas mãos, gesto simples e cotidiano que me fazia uma falta imensa. Ela me olhava, sorrindo:

— A gente pode ficar aqui pra sempre, pra que sair?

A princípio pensei que ela estivesse brincando. Depois, cogitei a opção de ficar para sempre naquele cômodo, sentindo todos os cheiros e gostos do corpo de Ana, conversando sobre a vida, só a gente. E veio a tentação de responder *Sim, vamos ficar*. Aí me lembrei de Ana deitada na cama do hospital. Recordei o tom de cinza da sua pele, sua boca seca, as escaras que inevitavelmente surgiam. Antes que eu pudesse responder negativamente e tentar convencê-la a se levantar, olhei suas mãos nas minhas, ambas enrugadas pela água e pelo vapor quente do banheiro.

O cheiro de lavanda ficava cada vez mais forte e deixava o ar mais pesado, respirar tornou-se um desafio. Vagarosamente, a pele da mão e dos braços de Ana começou a ficar murcha, envelhecida. Quando olhei novamente em seus olhos, seu rosto estava marcado pelo tempo e eu vi 60 anos se passarem em 60 segundos. Levantei da banheira, recolhendo as roupas e os sapatos pelo caminho, Ana gritava desesperada me implorando para voltar, *Pra sempre*!

Ao passar correndo pelo espelho, vi meu rosto: manchado, envelhecido, e me detive no reflexo por alguns segundos antes de alcançar a porta e abrir com dificuldade a maçaneta por conta das mãos úmidas. Jovem novamente, tremendo, nua e molhada, eu me vi, mais uma vez, no início do corredor. O número 4 ria de mim.

4.

Após vestir minhas roupas novamente, agora coladas na minha pele molhada, eu tentava organizar os acontecimentos naquele quarto: de alguma forma, aquela era a cabeça de Ana. O corredor do hospital. Senti uma pontada no peito. Ela se sentia presa ali, só isso podia explicar o fato de sua mente ter montado uma espécie de labirinto naquele cenário. A culpa me corroía.

Ana na banheira, a conversa, o cheiro familiar de casa, o envelhecimento instantâneo, aquilo parecia um fruto da *minha* cabeça. Senti outro arrepio na espinha e, tremendo, caminhei em direção à planta. Nem sinal do meu café da manhã. A porta que levava ao nosso banheiro agora não estava mais iluminada nem exalava cheiro de lavanda. Numa das folhas da costela-de-adão, a lagartixa filhote descansava.

Quando a avistei, ela desceu rapidamente e foi em direção à porta, eu a segui obedientemente. Entramos as duas, ela pela fresta, eu abrindo lentamente, antecipando o que estaria me esperando, um ar frio pior do que o do corredor tomava a sala. Sentada no parapeito da janela, Ana olhava uma paisagem invisível, ou pelo menos eu não conseguia ver o que ela observava.

Passo a passo, entrei no quarto e sentei-me ao lado dela na janela. Não sabia se aquela era outra artimanha para me manter ali ou se, de fato, era onde eu deveria estar. A lagartixa bebê se escondeu atrás de um móvel. Resolvi confiar nela.

— Oi, amor — falei baixinho, temerosa de interromper o que quer que ela perscrutasse. Seus cabelos estavam soltos, como no início do namoro. Senti vontade de abraçá-la, mas decidi evitar contato até ter certeza de que era *realmente* ela.

Ana me olhou de cima a baixo, nos olhos um fogo queimava. Poucas vezes eu a vira assim. Quase sempre ocorria em situações envolvendo pessoas babacas e preconceituosas, poucas vezes aquele olhar tinha sido direcionado *a mim*. Senti meu corpo se aquecer de nervoso, como se ela tivesse acendido uma fogueira em que a lenha era eu.

— Você tem coragem de me chamar assim?

Minhas mãos suavam e em breve todo o meu corpo estaria igual. Minha roupa, encharcada do banho, em breve estaria ainda mais molhada de suor. Optei por não responder e isso só pareceu acender ainda mais a raiva que ela sentia:

— Eu tô aqui por sua causa. Você sabe o que isso significa? *Você* me pôs em coma, se eu não te conhecesse estaria vivendo minha vida *normalmente*. Por sua causa a porcaria do meu cérebro achou uma boa ideia me prender nessa merda toda — falou, gesticulando muito.

— Eu sei... nem tenho coragem de pedir desculpas, eu sei. Quero consertar tudo, tenho estudado minhas habilidades, agora sei controlá-las melhor... — Minha boca dizia, mas eu não acreditava em uma palavra, apesar de não estar mentindo. Tinha medo de errar de novo.

— *Habilidades*? Você chama essa *tortura* de habilidade? — Ana cuspia cada palavra como se fossem pedras, eu estava num apedrejamento particular. — Você sabe o que é viver com *medo* de ter sua memória *roubada*? De um belo dia acordar e simplesmente *não saber* quem eu sou?

— Não... me desculpa... foi por isso que eu quis que você fosse embora, por isso a gente terminou...

— *A gente* não terminou NADA! *Você* terminou tudo. Eu não tive escolha. Eu fui ignorada, negligenciada, tratada feito serviçal, alguém que estava ali pra garantir que você ia sobreviver, eu fiz sua comida, eu cuidei da nossa gata, eu cuidei da sua casa. E você simplesmente fingia que eu não estava ali. Eu tive que assistir você tentando se matar lentamente. Pra, no fim de tudo, você me mandar embora como quem dispensa uma empregada. *Eu não sou sua babá.*

— Me perdoa. Eu fiz tudo errado. Eu sei que errei com você diversas vezes, nem sei onde foi que começou exatamente tudo de errado que eu fiz.

— E depois ainda teve a cara de pau de aparecer como se *nada* tivesse acontecido! Me mandou uma *mensagem.* — Ela não parecia mais estar me escutando. — Você sabe o quanto eu achei que você tava mal em casa? Sem se alimentar, de nenhum jeito, eu achei que você ia definhar trancada lá dentro. Não tinha nenhuma notícia a não ser as que André me dava. Você não tinha o direito de me privar de saber de você, ainda que não quisesse mais estar comigo!

— Eu nunca *quis* não estar com você! Eu só achei que era melhor ficar longe de mim. — Quando proferi essas palavras em voz alta me senti absolutamente ridícula.

— Você poderia ter me dado a opção. Nós duas somos adultas. A gente poderia conversar sobre as coisas. Mas a decisão final sobre o que eu quero é toda minha. Nunca mais você vai me tratar como se eu não tivesse uma mente própria. Ouviu? *Nunca mais.*

A sala começou a esquentar lentamente, o frio invernal agora dava lugar ao verão tropical e o ar abafado, mais uma vez, me desafiava a respirar. As mãos de Ana estavam incandescentes e já não me deixavam mais prestar atenção ao que ela dizia, agora aos berros:

— Eu *nunca* vou poder ser feliz com você! Eu tenho *medo* de você! Você me tirou absolutamente tudo e agora

me tirou UM ANO da minha vida! Nem pensar em ter filhos eu posso, já pensou o que você faria com a criança?
— O rosto dela a um palmo do meu, eu sentia seus olhos queimando minha pele. Sentia meus olhos marejando e deixando cair pesadas lágrimas, meu coração sabia que tudo que ela dizia era verdade. Era o que eu mais temia. O que eu nunca quis escutar. Será que era mais uma armadilha da mente de Ana brincando com meus medos?

Ela continuava gritando, as mãos começaram a pegar fogo e eu me afastei, com medo. O fogo tomou conta de Ana e foi tomando os móveis do quarto, a lagartixa saiu correndo dali e eu a segui, apavorada pela imagem de minha esposa em autocombustão. Caí no meio do corredor, a pele ardendo. De joelhos, observei a porta à minha frente, o pequeno rabinho da lagartixa entrando na sala. De trás da porta, eu ouvia abafada a música tocando *I wish nothing but the best for you two*. De pé, encarei por cima do ombro a porta em chamas atrás de mim e suspirei fundo antes de girar a maçaneta. Se eu não voltei ao início do corredor, isso provavelmente queria dizer que aquela Ana lá dentro era real. Talvez um pedaço escondido que ela reprimia todos os dias. Meu coração apertou e eu abri devagar a porta.

5.

— Eu sempre quis te conhecer.

Luiza me encarava de um jeito curioso e triste, me olhava de cima a baixo, encostada no vidro do aeroporto. Atrás dela, uma dezena de aviões embarcavam seus passageiros. Um café fumegava em sua mão, seus olhos estavam inchados e vermelhos, tão cintilantes quanto seu cabelo. Me aproximei devagar, também me recostando ao vidro, mas virada para ela. A lagartixa passeava pela janela como se fosse um monstro gigante em cima dos aviões minúsculos.

— Eu já te vi algumas vezes. Mas prazer.

Luiza bebeu o café sem pressa, como se eu nada tivesse dito. Depois me olhou, visivelmente chateada. Mesmo assim, ela era incrivelmente linda.

— Eu também te conheço por foto, mas assim, pessoalmente, eu quase entendo por que ela tá indo embora. — E apontou para um dos aviões lá fora. Ana caminhava ao longe, subindo os degraus da escada do avião que a traria de volta para mim. Ficamos as duas, Luiza e eu, observando Ana sumir, difícil saber qual das duas a amava mais e quem estava mais triste. Ali, tão perto dela, eu sentia ainda mais culpa por ter interrompido a história das duas. Embora Ana em algum momento fosse voltar ao Brasil, ela fez isso com um destino em mente: minha casa. Elas ficaram conversando durante um ou dois meses depois que voltamos a namorar, mas Ana sempre frisou que estava comigo. Luiza parecia uma pessoa incrível, do pouco que eu sabia sobre ela, o que só dificultava mais minha situação. Ainda que aquela não fosse a real Luiza.

— Não fala assim, você é linda e tudo que ouvi a seu respeito foi igualmente lindo. — Tentei sorrir, mas minha boca parecia não abrir direito depois das queimaduras.

Luiza sorriu e apontou para a mancha vermelha em carne viva do lado da minha boca. Eu balancei a cabeça e murmurei algo para dizer que estava tudo bem. Obviamente não estava.

— Eu vou sentir muito a falta dela. Vou chorar por muito tempo intermitentemente, depois em horários esparsos, então, um dia qualquer, sem perceber, o choro não vai mais vir. Aí vou conhecer outra mulher, mas ela vai sempre ficar no fundo da minha cabeça, quase como uma cicatriz. Mas no meio do rosto. Bem grande.

Eu respondi que sabia exatamente como era. Não teria conseguido descrever tão bem o tempo em que ela esteve longe de mim. Luiza me olhou com um pouco de raiva, pela primeira vez.

— A diferença é que eu não escolhi que ela fosse embora.

Encarei-a por alguns segundos:

— É verdade. Você tem toda razão — me vi dizendo, mansa e arrependida. Luiza voltou a tomar seu café e permaneceu em silêncio, as duas observando o avião de Ana correr na pista em direção ao céu. Após a decolagem, Luiza me olhou muito calma e suspirou:

— Eu queria te odiar. Mas a gente tem em comum uma coisa que me é muito valiosa: o amor que eu sinto por ela. Então não consigo nem sentir raiva. Eu só te peço pra honrar isso que ela fez. Receba a Ana de braços abertos, mesmo que, lá no fundo, eu deseje que você seja uma otária e ela volte.

— Eu vou recebê-la como ela merece. Pode deixar. — E sorri sinceramente, o que fez meu rosto se contorcer e a fisgada na queimadura ser quase insuportável.

Ela bebeu o último gole de café e deu as costas para mim. Antes de ir, virou-se e pareceu refletir sobre as próximas palavras que sairiam da sua boca. Por fim resolveu martelá-las na minha mente:

— Acho importante você lembrar que ela pode até ter te escolhido, mas eu vou sempre ser a oportunidade que ela deixou escapar. — Eu a observei calada e assim permaneci, não havia o que responder. Ela virou-se novamente e andou em direção à saída.

O copo de isopor na mão foi sendo despedaçado pelo caminho e lá na frente, ao longe, ela jogou os fragmentos no lixo. Em seguida, a lagartixa e eu estávamos de cara para a porta seguinte.

6.

No meio de um grande quarto enfeitado, havia uma mesa de madeira em estilo vitoriano e, sobre ela, descansava uma câmera fotográfica Canon, a marca preferida de Ana. Havia uma rixa entre fotógrafos da Canon e da Nikon, eu só achava tudo extremamente engraçado e sem sentido. Parada em frente a câmera, observei os detalhes do quarto arrumado como que para uma festa, flores se espalhavam e perfumavam o ambiente, eu aspirava fundo o cheiro dos lírios brancos, num momento raro de paz, quando abriram a porta afobadamente e falaram, quase gritando:

— Menina, anda logo! Você nem tá vestida ainda? A gente tem que se posicionar, já vai começar! Pega logo essa câmera e vem!

Dei um pulo e olhei algumas vezes pelo quarto à procura de alguém que não fosse eu. Eu ia fotografar alguma coisa? Sabia mexer muito pouco naquela máquina. Minha vontade era a de largar tudo ali e voltar para o início do corredor. No canto do quarto pendia um cabide com um terno, uma calça preta, camisa e gravata; no chão, um sapato lustroso. Tomei um banho correndo, aliviada por tirar de mim aquela roupa queimada e úmida, ao mesmo tempo me sentindo linda naqueles trajes. Suando, enlacei a correia da câmera na mão e saí porta afora.

De cara para um salão enorme, completamente enfeitado, os lírios ali tinham se multiplicado por mil, pessoas elegantes e arrumadas caminhavam rápido, dançavam e conversavam alegremente. No ar, a ansiedade da espera por algo importante. Não sabia como, nem do quê, mas sabia que fazia parte daquilo. Procurei a equipe de fotógrafos posicionada na entrada do salão e aguardei, coração no ritmo da música. Que era um casamento eu já sabia, provavelmente estava vivenciando o trabalho de Ana. Nenhuma outra razão me ocorria.

De repente, uma aglomeração ao redor da porta e todos os fotógrafos se movimentaram, clicando sem parar. Eram os noivos. Melhor: as noivas. Vestindo ternos, um pérola e outro vermelho, Ana e Luiza entravam no salão de festas de mãos dadas. O cabelo de Ana estava grande e volumoso, seu terno claro destacava o tom incrível da sua pele, ela caminhava sorrindo e olhando nos olhos de Luiza, que estava igualmente maravilhosa com a roupa vermelho-escura aveludada, seus cabelos mais curtos do que das outras vezes que a vi, uma gravata borboleta enfeitando seu colarinho. As duas só conseguiam enxergar uma a outra e por isso não me viram parada, boquiaberta e suando. Um dos fotógrafos me cutucou, tentei tirar alguma foto, mas só via tudo escuro, então percebi que a lente ainda estava com o tampão. Quando tirei a primeira imagem, ela saiu desfocada e tremida, além de ter uma lagartixa filhote gigante bem em cima de Luiza e Ana. Ela estava descansando na lente da Canon e só saiu quando eu a expulsei, cuidadosa.

As luzes do salão começaram a piscar e, claro que poderia ser a pista de dança, mas eu senti que era um desmaio se aproximando. Corri para a varanda mais próxima, no caminho peguei uma taça de espumante, tomei tudo de uma vez e me sentei, câmera no colo, rosto nas mãos, desesperada. A partir dali minha visão desfocou-se totalmente, como se eu tivesse um grau severo de miopia. Por mais que eu coçasse meus olhos, eles não voltavam ao normal. Eu sabia que enxergava mal e precisava usar meus óculos com frequência, mas não era possível que *do nada* eu tivesse nove graus em cada olho. Tremendo, não vi a pessoa que se aproximou, ajoelhouse à minha frente e segurou minhas mãos, mas eu conhecia aquele perfume.

— Por que eu tô aqui? É alguma espécie de tortura? — Não conseguia mais medir minhas palavras, só sentia desespero.

— Você precisa fotografar nosso casamento — ela disse do jeito mais doce que conseguia.

— Eu não quero.

— Então você vai voltar pro início.

Um choro de filme mudo começou a correr, não enxergar nada nitidamente me dava uma liberdade de fazer o que bem entendesse — independentemente de estar acompanhada, sempre parecia que estava só. Ana limpou as lágrimas do meu rosto e empurrou a câmera para mim sussurrando *Tenta*.

Ainda trêmula, tomei nas mãos o que eu acreditava ser a Canon, apesar de parecer apenas um borrão preto, e a posicionei como se fosse fotografar Ana. Imediatamente eu vi seus olhos maquiados com uma sombra dourada, seus lábios grandes pintados de marsala, uma gota de suor escorria testa abaixo. Pela lente da câmera eu a vi sorrir e se levantar em direção ao salão.

Mesmo durante a valsa, eu fotografei o casal apaixonado na pista. Meus olhos só conseguiam enxergar se usassem a lente 50mm de filtro, do contrário tudo parecia apenas um aglomerado de cores que faziam barulho. Registrei o corte do bolo, o primeiro beijo na pista de dança, os sorrisos enormes e felizes, as pessoas emocionadas com a união daquele lindo casal. Não sabia se me doía elas estarem juntas ou reconhecer que elas eram incríveis daquele jeito. Luiza conversou comigo diversas vezes durante a noite, não sabia quem eu era, me tratou incrivelmente bem e acredito que, caso soubesse, teria feito o mesmo. No meio do caminho o espumante facilitou o trabalho, embora estivesse tratando de deixar minhas fotos com cara de amadoras.

Às duas da manhã, bêbada, cansada e emocionalmente destruída, eu me escondi no grande quarto de onde tinha vindo. Ainda via tudo sem nitidez, por isso usava a câmera quase como óculos. No quarto, larguei-a e deitei na cama fofa e cheia de pétalas brancas.

Senti a pressão do corpo de alguém que se aconchegava no meu corpo. Ela desafrouxou a gravata e começou a abrir botão por botão, eu não disse nada, só aspirei fundo o perfume de baunilha e da pele dela. Não via dedos, mas podia senti-los passeando pelo meu corpo, tirando minha roupa e acariciando minha nuca. Meu corpo mole e entregue tremia e arrepiava cada vez que um borrão colorido o tomava para si, me deixando molhada e sem fôlego. Eu estava transando com uma pintura expressionista em movimento, aos poucos me tornava também parte do quadro. No fim, as duas éramos manchas que se uniam, se misturando para formar cores que não tinham nome. Como qualquer tinta aquarela, quanto mais molhadas, mais nos dissolvíamos nas telas que eram as peles uma da outra. Quando gozamos, eu vi nossos corpos explodindo em cor, ainda que não soubesse distinguir quantas havia.

Cansada de ser pintura, adormeci por um longo período, tudo para acordar e enxergar nitidamente todo o quarto ao meu redor, assim como Ana adormecida, nua, seu corpo enfeitando a imagem mais linda que meus olhos puderam enxergar. Procurei a câmera e tentei captar a perfeição daquele momento, sabendo de pronto que não conseguiria. Quando olhei o visor, a foto estava completamente sem foco, exatamente como eu enxergara durante a noite. Me vesti lentamente e coloquei a câmera de volta em seu lugar, na mesinha rebuscada, bem ao lado da lagartixa. Uma nova porta surgiu.

7.

Uma placa na porta anunciava: *Nada disso te pertence — por Ana Cristina Franco*. Meus olhos leram e releram a placa e se perguntaram se de fato ainda sabiam decodificar símbolos e processar informações. Talvez fosse o recente casamento e a nossa transformação em quadros em movimento, contudo sentia que cada neurônio que eu ainda tinha estava deitado em posição fetal e se recusando a trabalhar. A lagartixa foi muito mais objetiva e bastou passar uma vez sobre as letras da placa para depois escorregar para dentro da sala pelo buraco da fechadura. Segui sua coragem e girei a maçaneta, meus olhos ainda confusos demoraram a se acostumar com a luz baixa do ambiente, diferente do dia eterno que fazia no corredor do hospital.

Deparei com uma galeria de arte ampla à meia-luz, tudo ali tinha tons estritamente terrosos, a não ser as fotos, que variavam nas cores dependendo das seções. Em cada canto do grande espaço havia fotos espalhadas, meu coração esperto percebeu onde estava antes do meu cérebro, e logo começou a pular dentro de mim. Vi o pequeno réptil correr apressado em direção à primeira parte da exposição, e ali passeou por cima de fotos analógicas antigas, desbotadas, algumas com marcas de dedo e sem foco que se espalhavam sobre todo o chão. Permaneci parada no único espaço possível de se pisar sem estragar alguma imagem. Primeiro observei de cima, procurando escanear tudo que ali houvesse, depois ajoelhei-me para que pudesse ver de perto uma série de Anas pequeninas e adolescentes que riam, choravam ou simplesmente observavam uma linda paisagem. Em algumas fotografias havia pessoas que não conheci, mas que pude imaginar serem meus sogros de quem Ana quase nunca comentava. Ana no colo do pai, comendo bolo de aniversário, o pai assando carne, a mãe com um copo na mão sorrindo largo — o sorriso gêmeo de Ana —, o cachorro da família deitado aos seus pés. À minha frente, uma série de afetos e saudades que eu não conhecia, que Ana nunca compartilhara. Por alguns minutos me ative a conhecer o que me era estranho — e cativante.

Além das fotos de família, fui encontrando no grande quebra-cabeça rostos femininos — um dos irmãos Hanson, Britney Spears, uma menina de olhos grandes e escuros que sorria pra câmera — a foto borrada provavelmente pelo tremer da lente que a captou —, então, uma série de jovens começou a surgir entre o mosaico da adolescência de Ana. Uma delas era a moça que tinha o beijo sabor hortelã e cigarro. Eu senti novamente o gosto na língua como se fosse ela o meu primeiro beijo.

Poderia passar horas naquele espaço, as fotos cobriam toda a extensão do chão de modo que quase não havia buraco que deixasse ver a madeira envernizada da galeria. De fato, quando levantei uma das fotografias na intenção de vê-la melhor, constatei que as imagens *eram o chão*. Não havia madeira, apenas um vazio intocável e escuro. Meus olhos queriam desvendar a história de Ana, contudo a lagartixa decidiu que era hora de deixar para trás, então parei de bisbilhotar para segui-la até a coleção seguinte de fotos.

Fotos voavam acima da minha cabeça, algumas mais baixas, na altura dos olhos, outras mais altas, que me obrigavam a ficar na ponta dos pés para espiá-las ou alcançá-las, puxando para perto. Achei que estivessem presas por um náilon muito fino, mas elas apenas flutuavam como se a gravidade não as atingisse. Em todas as fotos eu encontrei um rosto — ou outra parte do corpo — familiar: o meu.

Meu sorriso tímido, minhas pintas grandes, minhas mãos compridas e dedos tortos, meus seios com mamilos invertidos — de que sempre me envergonhei, apesar de hoje ter me acostumado —, meus pés extremamente ossudos, minha barriga dobradinha com Amora dormindo sobre a pele macia, eu lendo escorada no balcão da Caixa, meu corpo em diversos formatos, gordo e mais magro, ambas as formas saudáveis e, em uma das fotos, pele e osso dormindo na banheira, nem tão saudável assim. Senti um arrepio subindo espinha acima.

Era engraçado perceber que, aos olhos de Ana, eu parecia linda. Apesar de nunca ter me considerado uma pessoa com sérios problemas de autoestima eu sempre sofri, como toda mulher, com pressão estética e, nas ocasiões em que pesava mais — que foram a maior parte da minha vida, já que meu peso oscilava com frequência —, sentia forte a gordofobia. Portanto, me sentir bonita em tantos momentos diversos, em diferentes versões, foi uma verdadeira revelação. Trocadilho proposital.

Todas as fotos eram pequenas, com exceção da foto que flutuava no meio de todas, em preto e branco, um beijo no meio de uma exposição fotográfica virou também fotografia. A saudade em forma de imagem. O silêncio da galeria era ensurdecedor, de repente, ouvi, cada vez mais alto, o barulho de passos, fechei os olhos e tamborilei com os dedos na minha perna o ritmo exato do passado guardado em minha memória. Alguns minutos se passaram até que eu começasse a sair do estado hipnótico em que me encontrava. Só abri meus olhos e saí da lembrança de Ana andando ao meu redor, tecendo com seus pés uma teia que me enredaria para sempre, ela tão perto de mim, quando, à minha direita, ouvi uma música começar suas notas suaves.

Perdida na lembrança do nosso primeiro beijo, não notei quando a lagartixinha passou voando em direção à sala seguinte. Agora ela repousava em cima da moldura de uma foto de paisagem pendurada na parede. Ali, um quarto com pouca mobília e muitas mochilas no chão guardava uma cama coberta de fotografias e objetos jogados. A música ecoava nas paredes *literalmente*. As frases proferidas pela voz aveludada da cantora batiam nas quinas do quarto e viravam tinta na parede. *Não é que me doa tanto o fim* enfeitava o espaço acima da cama e no rodapé *o que me fere são as perguntas inerentes à palavra final*. A melodia grudava na mente e quando vi estava cantarolando mesmo sem saber a letra. O lençol azul da cama guardava as fotos de Ana em Dublin, fotos de turista e fotos de artista. Entre as imagens estavam jogados todos os presentes que ela me trouxe quando retornou ao Brasil. Aquela era a Ana sem mim, ainda que não quisesse ser. Senti que as frases pintadas pela música nas paredes me atingiam diretamente e, por isso, não me movi quando uma das frases veio em minha direção, deixei que esbarrasse na minha pele e virasse tatuagem *Seu grande coração foi ficando menor*.

A última sala era completamente vermelha, no centro uma xícara de café fumegante com cheiro de canela repousava sobre um móvel antigo. O móvel coberto de fotos de Luiza e Ana: conversando, se beijando, andando de mãos dadas. Dessa vez, cheguei antes da lagartixa que só se aproximou quando eu já estava debruçada sobre o líquido escuro. Aspirei fundo a fragrância e segurei nas mãos a xícara, virei o líquido nos lábios, mas nada aconteceu, era como se a louça estivesse completamente vazia. Coloquei-a de volta no móvel e virei as costas. Cheguei ao último canto, mais afastado e próximo da saída, que possuía apenas uma grande placa:

AVISO: daqui não se leva nada, mas se recorda tudo.

Saí devagar da sala tentando deixar ali dentro até mesmo as partículas de poeira que grudaram no meu sapato.

8.

A areia estava gelada e os grãos entravam no meu sapato, então pareceu uma boa ideia tirá-los e carregá-los na mão para onde quer que eu tivesse de ir agora. Logo me arrependi, já que meus pés estavam congelando e, consequentemente, todo o meu corpo começava a se transformar num iceberg.

    Eu perdi a noção do tempo, embora soubesse que *ali* nada era normal. E me parecia que eu caminhava por horas a fio e logo avistei a lua despontando no céu, não encontrava nada, nem ninguém, tudo era areia. Ao longe, só o assovio do vento, nenhum sinal de água. As outras salas eram mais simples — apesar de mais assustadoras — e pareciam ter objetivos muito claros. Ali, eu não sabia o caminho, não tinha nenhum sinal, até a lagartixa, minha única companheira, havia desaparecido depois de passar por baixo da porta. A cada passo dado eu me sentia afundando mais e mais no chão, morria de medo de voltar para o início do corredor novamente. Eu tinha que avançar, mas estava caminhando há muito tempo e nada acontecia. Meu corpo começava a doer e agora a noite escura tinha abraçado as dunas e somente o luar servia de farol para o meu destino indefinido. Parei, deixei a areia escorrer pelos dedos e observei o céu e suas milhares de estrelas, enquanto tentava pôr minha respiração novamente no ritmo.

    — Você já parou pra pensar se de repente é um lance genético?

    Dei um pulo e senti meu coração martelando contra meu peito. Atrás de mim estava Ana, sentada na areia e sorrindo.

Depois de me recuperar do susto digno de videocassetada, sentei-me a seu lado. Finalmente, quando parei de procurar, encontrei o que precisava.

— Do que você tá falando?

— Essa coisa de absorver memórias. Você acha que é genético? Tem algum gene responsável, uma falha em cromossomo?

Fiquei observando atentamente o rosto dela enquanto formulava a pergunta, por um momento me perdi porque fazia tempo que não conseguia olhá-la de tão perto e numa paisagem tão linda. De repente começava a gostar daquela porta.

— Acho que é. Acho que só isso explica ter herdado essa coisa da minha mãe. Embora Samara, por exemplo, não tenha nenhum parente direto como ela. E além de nós três eu não conheci mais ninguém. Então não sei.

Ela fez um *hummmm* longo e permanecemos as duas por um breve segundo só sentindo a textura da areia em nossos pés.

— E essa Samara? — Ana me olhou meio enciumada.

— Uma amiga. Ela tá me ajudando a chegar até você.

— Fico feliz que você finalmente tenha amigas só suas — ela soltou, um pouco debochada, mas realmente contente.

— Ahhh, como assim? André é meu amigo!

— Sim, mas você o conheceu por *minha causa*. — O sorriso dela era lindo até tirando sarro de mim.

— Verdade. Acho que ela é minha primeira amiga mesmo. As últimas amizades que tive foram na escola, olhando pra trás acho que nem eram minhas amigas realmente. Às vezes a gente confunde simpatizar e se divertir com *amizade*. É algo tão mais complexo, né? Mas você sempre foi minha amiga, embora eu tenha deixado o que eu sinto por você ter estragado isso durante um tempo.

Ana abanou a cabeça positivamente, não soube dizer com o que exatamente ela concordava, preferi não perguntar. Percebi que ela estava com a aparência exata do dia em que entrou em coma e um arrepio subiu pelas minhas costas.

— Você sempre me pede desculpas por ter me mandado embora. E eu acho que você realmente me devia isso. Mas você não tem raiva? Nem quando eu debocho de você? — Ana me encarava firme, seus olhos castanhos atravessavam meu rosto. Não sabia se o cansaço era enorme ou se realmente meu cérebro tinha demorado para processar pergunta e resposta. Não soube o que dizer.

— Eu sinto falta de você. E me sinto mal por ter te colocado no estado que você tá.

— Tudo isso é válido, mas você pode sentir raiva. Não só de mim. Você tem direito de ficar irritada e o que você faz de errado não anula o erro dos outros, sabe? Às vezes eu queria sentir mais fogo em você. — Ela tocou no meu peito e parecia que uma faísca surgia entre minhas costelas. — Eu sei que você tem esse calor aqui. Você precisa dele pra incendiar essa caldeira, meu amor. Sem calor o trem não anda.

— Você quer que eu te odeie? — eu disse, irônica, embora soubesse exatamente o que ela queria dizer. Infelizmente eu era extremamente conformada com qualquer situação, até no meio de um incêndio eu seria capaz de me acomodar. Talvez fosse bom conseguir me adaptar assim às situações, mas no fundo a acomodação era excessiva.

— Jamais. Mas você pode sentir mais as coisas. Você *precisa* disso pra alcançar seus objetivos. — Ela agora falava comigo, mas seus olhos se perdiam contando estrelas.

— Você tá me dando uma dica do que eu vou passar aqui nesta porta?

Ela sorriu olhando pra lua e disse uma última frase antes de desaparecer e deixar apenas, ao longe, o barulho do mar nos meus ouvidos:
— Amo mulheres inteligentes.

9.

Se ontem estava congelando, pela manhã senti meu corpo derreter feito lava nas dunas. Sol exatamente em cima de mim, meio-dia, nada mais me fazia companhia além do desespero de estar caminhando no chão quente. Sapatos novamente nos pés, parecia que iria levar de lembrança toda a areia dali — além dos pés queimados. Vai ver o desafio é sentir raiva daquele cenário. Estava funcionando.

Apesar de estar exausta e novamente perdida, o barulho do mar continuava no fundo, o que me empolgava a caminhar. A praia deveria ser a metáfora para o fim, mas eu também ansiava por um mergulho que esfriasse meu corpo.

— É pra você queimar, não esfriar.

Embora por dentro tivesse morrido um pouco, meu corpo permaneceu imóvel quando ouvi a voz que vinha de trás de mim. No entanto, não pude reconhecê-la e, mesmo olhando em seus olhos, por um momento achei que tinha encontrado com Eve num deserto da *Múmia*. Aí a ficha caiu:

— Paola?

— Caramba, não dá pra me chamar de *mãe*?

O tom de voz dela era exatamente aquele que eu imaginava na minha cabeça quando Pan me contava suas histórias e o mesmo dos flashes de memória. Ela era linda, irritante e perspicaz. Infelizmente, eu não desejava conversar com ela e por isso dei as costas e segui caminhando em busca do mar. Ela continuou aparecendo a cada dez passos: *Fala com a mamãe, para de ser frouxa, não adianta fugir*, mas a única frase que me parou foi: *Mais um passo e você volta pro corredor.*

— O que você quer? Eu não quero falar com você.
— Você não tem escolha. Além do mais, acho que minha memória merece um pouquinho mais de respeito — ela disse isso fazendo o gesto de pouco com os dedos polegar e indicador, até isso soava como deboche. — Afinal, eu dei minha vida para que você estivesse aqui hoje fazendo cagada.

Não sei se a areia quente acendeu em mim um ódio escondido, mas me vi cuspindo:

— Você não teve escolha. *Eu* fiz isso por você.

Paola arregalou os olhos, visivelmente surpresa por ouvir algo que com certeza não teria saído de mim tão facilmente quanto sairia dela.

— Sabe — o tom dela era bem mais manso. — Eu queria ter você, até perceber que isso poderia me matar. E aí já era tarde demais.

Desejei poder voltar no tempo e retirar o que eu havia dito antes. Eu nunca tive orgulho de ter matado minha própria mãe. Mas, por algum motivo, eu tinha raiva. Não pelo aborto que ela tanto desejara e eu insistia em apagar de sua memória enquanto morava em seu útero; quando eu já tinha formado sistema nervoso, o momento exato em que ela percebeu que eu tinha deixado de ser um feto inofensivo que lhe causava enjoos e agora era um bebê assassino que sugaria até o fim suas memórias e sua energia vital. Eu entendia perfeitamente esse instinto de sobrevivência dela, essa vontade de viver, não acho que ela tinha o dever de se sacrificar por mim, nada disso combina com as minhas ideologias. Mesmo assim, eu tinha *ódio*.

— Você tem direito de me odiar por querer dar fim em você. Acho que eu também me odiaria se fosse o contrário. Porém, você sobreviveu e eu não, então acho que estamos quites. — A ironia tinha voltado. Ela se sentou na areia quente, não parecendo se importar com o calor. Seus cabelos estavam soltos e seus olhos verdes me lembraram do mar que eu queria alcançar.

— Eu preferia não ter sobrevivido. Eu preferia que você tivesse me abortado do que viver eternamente com você *dentro* de mim, sentindo toda a raiva que você cultivou durante a gestação. Você se ressentiu *tanto* que eu não consigo sentir raiva de ninguém porque eu tô sempre ocupada *me odiando*! — gritei para que Paola e todo e qualquer grão de areia pudessem me ouvir.

Ela me encarava, séria. Pela primeira vez pareceu não ter uma resposta na ponta da língua. Sei que Pan daria qualquer coisa para presenciar esse momento. Como se tivesse, enfim, riscado o fósforo, eu abraçava o incêndio e continuava gritando:

— O problema não seria você me abortar, eu não me importaria, eu não me lembraria de nada, o problema é que eu posso *sentir exatamente o que você sentia*. Eu *sinto* o nojo e o desespero que você sentia por mim. Isso é cruel. Sem falar que nós somos idênticas, herdei seu nariz, sua boca, seus cabelos e sua fome insaciável. Eu não consigo esquecer de onde vim. Se alguém acabou com meu *fogo interior*, foi você, MÃE!

Paola permanecia silenciosa e esperando que meu monólogo gritado continuasse. Depois de um minuto em silêncio, comecei a me sentir ridícula por ter berrado aos quatro ventos todas aquelas coisas, então, com o sapato carregado de areia e ódio, virei as costas e continuei andando, mas parei logo que um zumbido substituiu o barulho das ondas e já não via mais dunas, apenas pontos pretos. Respirei fundo, olhei para o chão, rezando para não desmaiar no meio daquela situação. O barulho de palmas solitárias me fez olhar novamente para minha mãe. Ela estava de pé, as mãos ocupadas me aplaudindo, logo seus braços se ocuparam com um abraço inesperado e necessário.

Quando desapareceu, Paola deixou comigo o cheiro de água salgada.

10.

Quando acordei já era noite feita e a lua me encarava do céu. Leonardo surgiu deitado perto de mim. Eu já não me assustava mais, mas duvidei ser capaz de ter qualquer tipo de surto com ele. Talvez agora fosse a hora em que eu iria fracassar e voltar para o início de tudo, mais uma vez.

— Eu tenho pena de você, não vai dar certo desta vez. — Eu encarava meus pés afundados na areia. Não tinha coragem de encará-lo.

— Pena?

Tal pai, tal filha. Ele também não me olhava. O céu parecia mais interessante.

— Você sofreu muito na mão da Paola. As coisas que ela fez com você...

— Realmente, horríveis. Ainda assim, eu tive minha parcela de erros. Mas nem os dela, nem os meus, nenhum deles justifica absolutamente nada.

O silêncio me pareceu a única resposta coerente para o momento e ele pareceu concordar.

— Ainda assim, você teve suas memórias roubadas em níveis absurdos, tinha convulsões, o poder de escolha lhe foi retirado. Por que você iria querer ficar perto de mim depois que conseguiu se livrar da minha mãe?

— Tudo isso que você diz é real, mas você não levou em conta algo muito importante: eu não sabia que você era como ela. Eu suspeitava, mas não tinha certeza.

Em nenhum momento ele me encarou, nem agora que eu observava atentamente seu rosto coberto pela barba. Eu jamais seria capaz de reconhecê-lo sem aquele monte de pelo na face.

— Você não quis arriscar. Eu não posso te culpar. Mas, sabendo disso, acho que você era meio lixo mesmo.

Ele riu. Acho que herdei dele a capacidade de gargalhar nos momentos mais improváveis.

— Então você tem raiva de mim?

Pensei um pouco antes de responder, o que eu disse não foi planejado, foi só um rascunho do sentimento que eu tinha dentro de mim:

— Não dá pra odiar quem a gente mal conhece.

Não obtive resposta porque ele sumiu quase que imediatamente. Achei que iria voltar ao corredor, mas segui com os pés na areia. Resolvi dormir mais um pouco em cima do meu casaco, evitando ser soterrada pelas dunas. Fui despertada pelas ondas do mar molhando meu rosto.

11.

Acordei no susto, achando que estava me afogando. Passei alguns minutos observando o mar e sentindo o cheiro da praia, sentia meu corpo sedento por alimento, de todos os tipos possíveis.

Não era para ser assim. Essa necessidade de me alimentar com certeza era algo que meu corpo físico estava sentindo. Há quanto tempo será que eu estava ali dentro?

Quando pensei em mergulhar e começava a desabotoar minha camisa, vi emergir da água uma figura feminina vestida de azul, pele negra, caminhava devagar por entre o mar. Ana sentou do meu lado.

— Você tá linda, Janaína.

Ela gargalhou e beijou minha boca, eu senti o gosto de mil mares nos seus lábios. Diz a verdade, quem afirma que água salgada não mata a sede, eu queria muito mais. Ela parou e segurou meu rosto, sussurrou algo que eu não pude ouvir direito, tamanha vontade de sorvê-la inteira.

— Acendeu algo em você, hein. Funcionou, pelo jeito.

— Ahhh, o fogo na minha calcinha sempre esteve presente. — Eu ri. — Mas, sim, acho que me sinto mais viva. Já podemos sair daqui.

— Ainda falta uma coisa.

— Tem a ver com você?

Ana assentiu com a cabeça, didaticamente.

— Eu não te odeio. Nem sinto raiva. Eu te amo.

— E o que mais? — Ela parecia saber algo que meu coração não conseguia resgatar.

Permaneci calada, olhando com calma a areia molhada e pensando no caminho que eu tinha feito para chegar até ali. Encontrei minha mãe, depois meu pai, agora Ana. Então, de um fundo perdido dentro de mim emergiu uma ostra e no seu interior uma pérola perfeitamente moldada por uma mágoa:

— Por que você nunca me contou que queria ser mãe?

Imediatamente me vi encarando a madeira da porta seguinte, das dunas sobraram a areia nos sapatos e o gosto de Ana na minha língua.

12.

Após retirar os sapatos e virá-los de ponta-cabeça, apenas para ver minúsculas dunas se formando, a porta desvelou a cozinha da nossa casa que cheirava a panquecas. Eu aspirei fundo, esperando que fosse o suficiente para matar a vontade. Mesmo estando ali apenas mentalmente, eu sentia todas as coisas normalmente, fome era uma delas.

Amora corria para cima e para baixo, eu tive que parar bruscamente para não tropeçar na bola de pelo ruiva. Quando ela subiu na mesa, uma menina de uns três anos disparou pela cozinha berrando e tentando alcançá-la com as pequenas mãos. Fiquei um tempo encarando a cena, achando tudo extremamente lindo, minha atenção nas duas era tanta que não percebi Ana chegando e se recostando no batente da porta, bem ao meu lado.

— Ela é linda, né? — Vi seus olhos brilharem ao observar a menina gritando, e Amora a encarava de cima da mesa, imponente, após desistir de pegar a lagartixa que estava na parede. Então meu coração, novamente mais rápido que meu cérebro, enviou um recado em forma de batimentos cardíacos e eu pude compreender.

— Que nome a gente escolheu? — perguntei, curiosa.

Ana desviou os olhos da brincadeira e virou o corpo totalmente para mim, estávamos muito próximas, nossos corpos quase se encostando.

— Pandora. — Ela sorriu.

Todos os sentimentos possíveis me subiram pela garganta e engoli todos eles em seco.

— Adotamos ou gestamos? — A menina se parecia muito com Ana e *comigo*. Não fazia diferença, mas fiquei curiosa.

— Eu gestei, escolhemos um doador parecido com você.

— A gente podia ter tudo isso de verdade. — Eu a olhei profundamente, esperando que as ranhuras de sua íris me contassem os segredos.

Ana não me respondeu, só encostou o corpo no meu e me abraçou forte. A pequena Pandora desistiu de Amora e veio se enlaçar nas nossas pernas, chamando *Mamãe*.

— Ela tá chamando qual de nós? — Sorri enquanto limpava lágrimas que teimavam em correr.

Ana a pegou no colo, deu um beijo estralado na bochecha e respondeu *Tanto faz*. Os olhos de Pandora eram da mesma cor que os meus, castanhos muito claros. Manchas amareladas, quase verdes, se destacavam, os traços eram muito parecidos com os de Ana, embora ela de alguma forma lembrasse muito de mim, talvez no jeito. Me doeu saber que Ana desejava aquilo e nunca havia me dito. Embora nunca tivesse dito o porquê, eu já sabia.

Então a próxima porta surgiu à minha frente, pronta para ser aberta. O chão, porém, pareceu a melhor opção. Por um tempo incapaz de ser medido, sentei e chorei até sentir que meu corpo já não tinha água o suficiente para produzir lágrimas. A lagartixa me esperou pacientemente na porta.

13.

O bipe alto dos aparelhos do hospital machucava meu ouvido. Parada na porta, cortinas fechadas, eu olhava atordoada o corpo de Ana debruçar-se sobre Pandora, deitada na cama, coberta por um lençol branco, nos pequenos braços magricelas a agulha com o soro e uma quantidade enorme de marcas de furo. Minha esposa me viu entrar, mas decidiu me ignorar e continuar o choro inesgotável sobre nossa filha. Com dificuldade, meu cérebro controlava meu corpo e o impedia de se virar e girar a maçaneta onde estava a lagartixa para sair daquele lugar, daquele sonho, daquela *possibilidade*. Só ele sabia que eu estaria de volta ao início do corredor, observando a costela-de-adão.

— Por isso eu nunca te disse. Ela ia acabar que nem eu.

Estremeci da cabeça aos pés, ouvir aquilo era pior do que levar um soco.

— Você não acabou. Eu vou te achar e te tirar daqui.

Ela me olhou com raiva e, apesar de entender cada nuance do seu ódio, eu sabia que aquele não era o fim. Tive medo de vê-la incendiar novamente.

— Não dá pra viver com você sem se sacrificar — ela disse num tom baixo com os lábios, enquanto seus olhos proferiram a mesma frase de um jeito muito mais agressivo.

— Não vai mais ser assim. Eu juro. Eu vou estudar e aprender mais do que já aprendi. Nem que eu tenha que me afastar e voltar quando eu for inofensiva.

Ana bufou, desdenhando de todas as minhas promessas. Aquela era apenas uma parte dela. Uma representação do seu inconsciente, eu precisava passar por isso para chegar até o consciente de Ana e eu não fazia a mínima ideia de onde ele poderia estar.

Caminhei devagar e toquei na mão de Ana, que segurava o bracinho delicado e magro de Pandora. Apesar de ela não ser real, eu desejei que fosse. Eu beijei sua testa fria e deixei que saísse de mim em forma de lágrima meu desejo e minha força para construir com Ana tudo aquilo que nós queríamos ser.

14.

A gente acha que sabe lidar com a morte, nos enganamos pensando que superamos a perda, até que temos que encará-la quando mais alguém que amamos se vai. Aí percebemos que o que chamávamos de *lidar* significava *ignorar*.

Eu sabia disso porque perdi toda a minha família, a não ser aqueles parentes que você conta nos dedos quantas vezes viu na vida e que, bem verdade, são apenas estranhos. Eu temia, respeitava e rezava para que a Morte não levasse de mim mais alguém importante. Passei a encará-la como o transporte para o destino final, totalmente desconhecido.

Ana, diferente de mim, havia perdido os pais e sua solução pra lidar com a dor foi ignorar completamente que aquilo aconteceu. Ela era uma mulher forte, energia à flor da pele, mas o choro nunca foi fácil. Por vezes, eu a via cortando cebolas totalmente debulhada em lágrimas, muito mais lágrima do que cebola. Ela precisava de estímulos para liberar a emoção, mas que não tivessem nada a ver com o motivo *real* da tristeza. Sempre tentava ajudá-la a se soltar, mas ela usava uma armadura muito resistente. Com o tempo fui me acostumando com seu jeito e não esperava mais tempestade com chuva forte, mas sabia que ela era tempestade de areia.

Quando abri a porta que me convidava a dar mais um passo em direção à Ana consciente, me vi num corredor comprido com cheiro forte de pipoca amanteigada. Minha barriga roncou e eu ri, achando graça do poder que o cérebro tem de nos manipular: mesmo sem corpo físico meu estômago roncava e, gradativamente, eu ia me sentindo mais e mais fraca, como se não desmemoriasse alguém há dias. Minha noção de tempo estava completamente surtada.

O corredor comprido e estreito iluminava-se com uma luz amarelada que ficava nas paredes logo acima dos pôsteres de filmes. *Sempre a seu lado, O show de Truman, À espera de um milagre, Marley e eu, A lista de Schindler, As horas, O menino do pijama listrado, Cloudburst, Para sempre Alice, Preciosa, Flores raras, A menina de ouro, Já estou com saudades, Meu primeiro amor, Meninos não choram, Amor, Moonlight, Diário de uma paixão, P.S. Eu te amo* e toda a filmografia de Rachel Weisz. Filmes com temáticas diferentes, de décadas variadas, nada ali parecia se encaixar num padrão. E aqueles não eram todos os filmes preferidos de Ana, apesar de alguns estarem também ali. Logo abaixo dos cartazes, onde ficariam os horários e as salas das sessões, todos marcavam: *Sala 1. Quando quiser*.

Logo ao fim do corredor eu avistava, pequenina, uma porta grande, e parada na frente da bombonière eu encarava a máquina de pipoca e demais guloseimas na vitrine. Não havia atendente, só uma placa: *Fique à vontade*. Depois de alguns momentos pensando se eu deveria colocar na boca alguma comida, resolvi arriscar. Enchi um balde grande, metade com pipoca doce e metade com pipoca amanteigada, enchi um copo com refrigerante e os bolsos com balinhas e um chocolate. Caminhando devagar com medo de derrubar tudo no chão, eu ia pegando com a língua as pipocas que estavam por cima no balde. Ana sempre ria quando eu fazia isso — *Você é mesmo uma sapa*.

Na sala de cinema enorme e com aquele cheiro que só as salas de cinema têm, parei e encarei a tela. O filme já estava rodando, Hachiko esperava em vão, em frente à estação de trem, que seu dono retornasse como todos os dias. Automaticamente meus olhos se encheram de lágrimas, recordando a história real que o filme contava. Observei o cachorro sentar-se paciente, a mesma posição em que foi feita sua estátua hoje na estação. Eu me lembrava muito bem do filme principalmente porque havia chorado cada minuto dele, contudo, uma mancha preta e pequena no rostinho do cão havia me passado despercebido das outras vezes. Logo a mancha se moveu e foi parar num canto escondido da tela. Era a minha companheira reptiliana.

Desviei o olhar da tela e observei as poltronas vermelhas vazias, até onde meus olhos alcançavam não havia alma viva na sessão. De repente, um silêncio no filme e ouvi o choro soluçado e descontrolado que vinha de cima, da última fileira, e o usei de bússola.

Ana estava com o rosto completamente encharcado, as lágrimas corriam sem cessar, uma atrás da outra. Seu rosto desfigurado pela dor, no seu colo um balde de pipoca pela metade. Sentei-me a seu lado e observei seu choro convulso, depois a abracei, levantando o braço da poltrona namoradeira. Assistimos ao filme até o fim, unindo lágrimas e saboreando pipoca. Quando os créditos começaram a passar, ela limpou os olhos e o rosto com um lenço de papel, logo depois *A múmia* começou a rodar na enorme tela.

— *A múmia*? A seleção é sua? — indaguei curiosa.

— Sim... esse eu escolhi por sua causa. A atriz me faz lembrar de você. Sempre choro.

Encarei meus pés percebendo o que era aquele cinema.

— Realmente não tem muito motivo pra chorar com esse filme. Pena que lembrar de mim te cause isso.

— É saudade. Às vezes raiva. De vez em quando tristeza. Várias vezes só porque te amo. — Ela sorriu.

— Sabe, nunca entendi como você consegue guardar tanta coisa. Chorar pra mim é quase como respirar.

Ela deu de ombros e comeu um pouco da pipoca já fria.

— Quando meu pai faleceu — me arrumei na cadeira tentando disfarçar meu nervoso, ela nunca falava sobre a morte dos pais —, eu era muito pequena e mesmo assim não consegui chorar. Minha mãe achava que eu tinha algum problema, cogitou até se eu, de fato, sentia as coisas. No fim, fingiu que eu não tinha entendido a gravidade, pensou que eu tinha associado a morte dele com sua ausência enquanto trabalhava. Mas eu sabia que ele não iria voltar. Eu só não conseguia chorar. Fui inclusive pra psicólogo, e nada.

— Nem com desenhos? Livros?

— Aí sim. No dia do velório dele minha mãe me colocou pra ler *O patinho feio* e me levou chorando pra perto das pessoas. Acho que não queria ninguém falando que eu não amava meu pai.

— Você nunca me contou nada disso.

— Acho que até eu esqueci. Aquele tipo de esquecer que a gente até lembra, mas finge que não. Não sei dizer.

— Quantos anos você tinha?

— Oito anos. Nem quando minha mãe morreu eu chorei, sabia? — Ela me contava como quem vai listando as coisas que fez durante o dia, normalmente, nenhum sinal de lágrimas. — E eu fiquei cuidando dela no hospital. No final ela já não conseguia andar, mal sentava na cama, nem respirava direito. Eu ajudava a dar banho nela, a trocar a fralda, a alimentá-la. Mesmo assim, nos três meses que ela esperou pra ir embora, eu não chorei. Mas meu peito queimava todo dia e eu tinha pesadelos horríveis, sempre que possível eu socava alguma coisa. Foi depois disso que eu comecei a fazer muay thai. — E sorriu como se aquela fosse uma piada muito ruim.

— Depois que ela morreu eu passei uma semana assistindo *Grey's Anatomy* e chorando.

— O que você assistiu quando a gente terminou?

Ana soltou um longo *Aaaaaah* saudoso.

— Eu ouvi a discografia do Dallas Green inteira.

Nessa hora, Eve apareceu na grande tela de cinema, nós duas observávamos atentas, ela lembrando de mim e eu só conseguindo ver Paola.

— Vic — ela me chamou enquanto tocava no meu ombro, delicadamente. — Você foi muito corajosa lá nas dunas. Fiquei orgulhosa.

As palavras até ensaiaram sair da minha boca, mas não disse nada. Preferi beijar de leve os lábios dela em forma de agradecimento e despedida. Levantei e fui em direção à porta da sala. Antes de atravessá-la e dar de cara com o branco fluorescente do hospital, ouvi ao longe um choro ecoar.

15.

Da janela do quarto de hospital, Ana e eu observávamos o jardim interno e suas plantas que teimavam em sobreviver ao inverno. Lá fora, no meio de flores e espadas-de-são-jorge, uma gruta minúscula feita com pedras redondas guardava a imagem de Nossa Senhora. Dois bancos de praça estavam voltados para ela, como se neles houvesse uma plateia invisível. Estávamos olhando um sabiá solitário passear pelo jardim, nenhuma de nós tinha dito nada, o silêncio nos bastava. De repente, uma moça surgiu empurrando uma senhora em cadeira de rodas, as duas agasalhadas com toucas e casacos pesados e escuros. Ouvi Ana fungar e se mexer inquieta ao meu lado, eu segurei sua mão com força, ela se soltou de mim e foi para a cama vazia. Lá fora, a moça sentou-se no banco, contemplando em silêncio a imagem de Maria, o manto azul, o sabiá que a encarava, nem senhora nem moça emitiam sons, eu só as enxergava de costas, toucas na cabeça, não conseguia ver quem eram.

— Eu me lembro bem o que eu tava pensando nesse momento — Ana disse inesperadamente, enquanto cutucava um pedaço de maçã que sobrara do café da manhã. Ela pegou o chá ainda quente e tomou um gole para depois colocar o copo de isopor novamente na bandeja. — Pedi à Virgem pra que ela intercedesse pela minha mãe. Que ela ficasse bem, onde quer que fosse. Alguma parte do pedido foi de fato por ela, mas a maioria eu fiz por mim. Eu tava cansada.

Novamente recostada na janela, Ana parecia estar confessando os pecados para o padre, só faltava mesmo "me perdoe, padre, porque pequei". Eu não era a pessoa certa para lhe dar absolvição de nada, mas me senti honrada com a confiança.

— Não sabia que você era religiosa...

— Eu não era, mas minha mãe sim. Pareceu certo pedir ajuda a alguém por quem minha mãe tinha carinho e fé. Ainda que eu mesma não fosse a mais religiosa do mundo. — Ela não era católica, só que vivia entre igreja e candomblé, talvez por isso sua mente fosse tão pronta a receber novas coisas, não era presa a nenhum dogma. Mas Nossa Senhora sempre foi sua guia. Ela e Oxum.

No jardim, Ana com 19 anos segurava a mão da mãe, praticamente imóvel na cadeira de rodas.

— A gente não valoriza as pequenas coisas da vida até acontecer algo *assim* — disse ela apontando com a cabeça para mãe e filha de mãos dadas. — Sempre fui muito próxima a minha mãe e o primeiro baque que senti foi quando percebi que podia perdê-la... e *tão cedo*... sabe? É o tipo de coisa que ninguém espera.

— Me lembro da sensação, foi o que eu senti com Pan. — A lembrança fez meu peito doer. Ana me olhava com a compaixão daqueles que passaram pela mesma dor.

— Quando Pan ficou doente eu sabia o que te esperava. Fiquei feliz em ajudar um pouco.

— Se não fosse você, eu não teria conseguido. Você me ajudou a cuidar dela e a me manter sã. Dói demais perder quem a gente ama, ainda mais pra doenças tão destrutivas... — Mal acabei de falar e lembrei que o motivo da destruição era eu mesma. Automaticamente meus olhos encararam o chão, culpados.

Os olhos de Ana se encheram de lágrimas e eu achei que, pela primeira vez desde que nos conhecemos, eu a veria chorar por algo relacionado à vida dela. Contudo, lágrima nenhuma ultrapassou a barreira dos seus olhos.

— Nesse dia eu não tava triste por nada disso. Eu só não aguentava mais. Eu queria minha rotina de volta, sabe? Uma que não fosse ver minha mãe definhando, mal conseguindo comer, usando fralda, mal respirando, tudo no meio de mais 20 pessoas num quarto. Eu queria dormir numa cama e não numa cadeira de praia, queria acordar com a luz do sol e não com uma luz que a enfermeira acendeu pela manhã. Perdi um ano da minha juventude num hospital e depois disso tudo eu ainda perdi minha mãe. Acho que isso é que dá mais raiva, você cuida da pessoa e no fundo a gente acha que aquilo vai salvá-la, mas não. Eu saí do hospital um ano depois com ela num caixão.

A Ana no jardim abraçou a mãe e beijou seu rosto, a Ana ao meu lado tremeu, como se um arrepio percorresse não só seu corpo, mas também tivesse passado pela sua alma. Eu a observava como quem vê um experimento sendo realizado, tinha medo de atrapalhar aquele momento, mesmo que aquela parte de Ana fosse seu inconsciente, *era* ela. Um fragmento emocional que se deixava levar, pela primeira vez em anos, ainda que dentro da sua própria cabeça. Abracei-a forte, ela tentou se esquivar por alguns segundos e depois se rendeu, agarrou-se no meu corpo e começou um choro convulso, exausto, desesperado. Chorei junto com ela. Choramos todas naquela cena. O sabiá nos observava do lado de fora, ou talvez só quisesse descobrir como alcançar a lagartixa que repousava no vidro da janela.

16.

Minha camisa ainda estava molhada das lágrimas de Ana quando girei a maçaneta da porta seguinte. A lagartixa, por enquanto, não tinha aparecido, e eu temi estar entrando onde não deveria, mas arrisquei — cada nova porta era um passo para mais perto de Ana, e eu conseguia senti-la se aproximando.

Minha visão já estava acostumada com claridade, já que as luzes do corredor do hospital são praticamente neon, por isso em qualquer ambiente escuro acabava demorando para me localizar. Dessa vez a demora foi maior, pois a escuridão avermelhada era intensa, então permaneci imóvel até que pudesse distinguir que lugar era aquele. Um barulho de água correndo me acalmava, soava quase como um mantra. Aos poucos, fui enxergando um pequeno laboratório de revelação de fotografias. Ana sempre quis ter um em casa, nós sempre conversávamos sobre montar um laboratório artesanal, por um tempo ela usou uma changing bag e depois improvisou um no banheiro, mas eu sempre quis que ela tivesse mais espaço em casa para revelar suas próprias fotos.

Ela sempre gostou de fotografia digital e nunca preferiu nem uma, nem outra, mas tinha um carinho todo especial pela analógica, pelos processos da revelação, sempre falava disso com os olhos brilhando, era quase como magia. O pai de Ana era fotógrafo e seguir os passos dele era como visitar sua memória. Lembro bem de quando ela aprendeu na faculdade e ainda chegava em casa e estudava mais, pesquisava mais, chegando a montar o laboratório improvisado. Observar quem a gente ama fazendo aquilo pelo que é apaixonada é um troço viciante, sempre fico querendo mais.

A luz avermelhada assentou nos meus olhos e agora eu conseguia distinguir o laboratório, no canto estava Ana, concentrada demais para sequer olhar para mim. À sua frente, na parede, estava uma coleção de máquinas analógicas, todas perscrutando Ana. Aproximei-me devagar, temendo atrapalhar seu trabalho, mas a verdade é que ela se entrega tanto que um terremoto não a faria perder o foco.

— Amei esse laboratório, melhor do que o nosso banheiro — ela me disse com uma risada e um olhar companheiro. A saudade que eu tinha disso tudo era indescritível.

— Era assim que eu imaginava ter na nossa casa.

— É superpossível... Aliás... Esse é o nosso quarto de hóspedes?

Ela assentiu com a cabeça e continuou mexendo na bobina do filme, delicadamente retirava a película com o extrator e cortava a ponta, quase como se aquilo fosse uma terapia. Observei as fotos penduradas com grampinhos no meio de filmes também escorrendo. A maioria delas estava totalmente desfocada, distinguia apenas os tons em preto e branco. Não quis perguntar a Ana com medo de que ela se ofendesse.

— Ali no canto, é uma minilab? — Nem acreditei no que meus olhos viam, essa máquina era extremamente cara, por um momento me esqueci de onde estava e ia brigar com Ana por ter estourado nosso cartão de crédito.

— Algumas memórias precisam de cor. — Ela nem se deu ao trabalho de virar para mim, suas mãos concentradas em lavar o filme para retirar o ácido que aos poucos corroeria os negativos.

— Verdade. A memória da primeira vez que te vi não seria a mesma sem cor. Nunca vou esquecer a camisa marrom que você usava. Quando você pegou o livro da minha mão, aquela capa rosa, todos os seus tons, eu podia ver o mundo inteiro só naquelas cores. Isso me bastaria.

Não pude ver sua reação quando dei uma de poeta sem querer. Focada agora em ampliar os negativos, Ana naquele momento era a maior incógnita do mundo. Como ela pouco dizia, minha boca continuava falando:

— Agradeço todos os dias por Pan ter me colocado pra trabalhar lá.

Ela suspirou e disse *Eu sinto falta dela*. Levei um susto, sabia que ela e minha tia se davam bem, mas Ana nunca havia me dito que sentia falta dela. Talvez por achar que sua saudade era muito menor do que aquela que eu sentia.

— Eu também morro de saudade... não sabia que você se sentia assim...

— Nós éramos amigas. Fico feliz de ter construído isso com ela. Ela tentou ajudar algumas vezes.

Meu cérebro talvez estivesse frito depois de envelhecer, pegar fogo, fotografar o casamento de minha esposa com outra mulher, andar por dunas, conhecer minha filha, vê-la definhando no hospital, vislumbrar minha sogra doente, mas aquilo não pareceu fazer sentido. Ajudar com o *quê*?

— Ela me avisou, sobre você. — Ana virou-se lentamente e apoiou-se na área úmida do laboratório. Aquela era uma esposa que eu jamais tinha conhecido. — Assim que ela percebeu que a gente ia ficar juntas. Ela me disse o que você era, me pediu pra ir embora, que bastava que ela estivesse ficando doente.

Um buraco no meu estômago formou-se e nunca mais cicatrizou. Ali dentro caíram todas as certezas que eu achei possuir. Ana se aproximou de mim e me abraçou forte, meus braços, contudo, não souberam o que fazer. Tinham esquecido sua função no meio daquela revelação.

— Pan nunca falou com ódio, ela te amava. Mas era muito racional e, por isso, foi muito direto ao ponto quando conversou comigo. Acho que ela quis me assustar. — Ana sussurrava bem perto da minha orelha, todas as palavras soavam gritadas dentro dos meus ouvidos.

No varal, as fotos foram ganhando foco e eu enxerguei uma a uma elas revelarem a lagartixa em vários lugares diferentes. Na cabeceira da nossa cama, na capa de *A teus pés*, na janela da cozinha, na asa de uma xícara, passeando pela nossa banheira e — a maior de todas as fotos — no rosto de Pandora. Num dos grampos, a modelo real repousava.

— Tem algo muito mais importante do que saber que ela me contou. — Ana saiu do abraço e me olhou fundo, tentando pescar em mim a resposta para aquela não pergunta. O buraco levou também minhas palavras, as que eu um dia disse e as que no futuro poderia dizer. Sobrou-me o silêncio.

— Eu fiquei.

E se eu não conseguia falar antes porque não sabia mais como efetuar essa tarefa tão simples e instintiva, agora já não seria possível, porque seus lábios colaram nos meus.

17.

O gosto do bolinho de chuva se espalhou na minha língua como um abraço. O cheiro do café fazia carinho no meu nariz e era como se tudo em mim ganhasse um cafuné: corpo e alma. Triste pensar que por aqui os bolinhos ficaram mais conhecidos por causa de um escritor extremamente racista, antes fosse qualquer outro, uma comida feito essa não merecia estar atrelada a essa lembrança. Sujando a boca de açúcar e canela, eu tentei desviar minha atenção desse fato. Os pingos de chuva surravam a janela da cozinha de casa e, tão absorta que estava, senti que até aquele som era uma música feita especialmente para mim. Os pequeninos grãos de açúcar caídos na mesa se tornariam fardos para as formigas que ali passassem. Na minha frente, um prato cheio de bolinhos perfumados de canela e açúcar que parecia nunca diminuir, por mais que eu os comesse com o café preto e sem açúcar.

A lagartixa caminhava lentamente, andando e parando, por cima da bancada da cozinha. Sozinha, sentada à mesa, saboreando uma pilha infinita de bolinhos, eu não pensava em mais nada. Se algo existia além daquele momento, daquelas imagens, daqueles sabores, daqueles cheiros, daqueles sons, eu não conhecia. Tudo foi quebrado quando Ana sentou-se à minha frente e começou a comer os bolinhos comigo. A chuva na janela parou imediatamente.

— Você sempre soube então — disse com os lábios ainda sujos de açúcar.

Ela continuou comendo o bolinho que estava na boca, tomou um gole de café e só depois me respondeu, pacientemente:

— Quando fizemos um ano de namoro ela me contou. Ela já estava sentindo os primeiros sintomas do Alzheimer. E eu achava que ela não gostava de mim...

Seus olhos permaneceram analisando um bolinho entre os dedos, quase como se estivesse num museu contemplando uma obra de arte que demorou anos para ser concluída. Depois enfiou a obra na boca, mastigou e engoliu.

— Pra que me contar isso? Tem alguma funcionalidade?
— Crescia dentro de mim algo que eu não estava acostumada a sentir: rancor.

Ana me encarou pela primeira vez naquela cena, séria, cuidadosa. Encheu nossas xícaras de café e continuou comendo. Em meio a deglutições e olhares tortos, ela cuspiu *Nem tudo tem um motivo*. Embora eu estivesse realmente puta da cara, não pude deixar de concordar bem no fundo de mim.

— Por que você me escondeu?
— Epa, eu nunca te escondi nada. *Ela* te escondeu. Não tenho esse poder, sou só um inconsciente silenciado e sofredor. — Ela debochava de mim enquanto íamos esvaziando o prato de bolinhos.

— Me diz onde eu posso encontrar com *ela*.

Ana gargalhou baixinho e pegou o último bolinho no prato. Não custava nada tentar. Eu precisava saber se estava chegando perto ou não de encontrá-la e sair dali.

— Não sei onde ela tá, inclusive, também gostaria de achá-la. Ela faz falta, sem ela a gente fica presa aqui. Mas eu não sei. Nem sei mais se ela existe realmente. Talvez sejamos só nós falando uma com a outra, sozinhas, pra sempre.

Não podia ser. Eu sabia que existia algo de Ana com consciência escondido em algum lugar. Não tinha passado por isso tudo para desistir assim.

— Se você existe, se eu ainda existo, então ela está em algum lugar.

Ela deu de ombros, terminou o café e levantou-se devagar da mesa enquanto lambia os dedos sujos. Saiu da cozinha e em seu encalço estava a pequena lagartixa. A chuva voltou a bater tímida na janela. O prato de bolinhos se encheu novamente, gota a gota.

18.

O cheiro de quentão entrou nas minhas narinas e não saiu mais, até o instante de deixar aquela porta. Uma das minhas coisas favoritas de junho era o frio e as festas juninas, e, com isso, o quentão. Cansei de tomar porres — e absorver muitas pessoas pelo caminho — quando essa época chegava. Naquela noite fria, sentadas no banco de uma praça mal iluminada, o copo esquentava minhas mãos e o líquido, meu corpo. Ana, ao meu lado, sorria:

— Você sempre amou festa junina. Acho que era só uma desculpa pra beber, né?

— Não vou negar que sim. — Minha boca roxa do quentão sorriu para ela e rimos de mim. Permaneci em silêncio alguns instantes até soltar, aflita:

— Ana, eu preciso encontrá-la.

Ela me abraçou em meio a casacos pesados e quentinhos:

— Eu tô aqui, amor... — E me beijou devagar e quente, como há muito tempo eu não beijava. A visão que tive imediatamente depois foi do mundo girando, poderia apostar que a culpa não era do vinho.

— Infelizmente você não é a Ana que eu procuro... Você sabe que eu preciso da Ana que tem o poder de sair daqui.

Suas feições endureceram instantaneamente e ela saiu do meu abraço, bufando. Eu estava irritando as Anas que encontrava pelo caminho. Cada uma delas tinha algum sentimento que Ana parecia guardar só para si, mas as últimas pareciam estar ali apenas para me impedir de encontrar a consciência.

— Você quer sair daqui *por quê*? Não entendo essa fixação. Aqui tem tudo que a gente quiser, a gente sente tudo igual, às vezes *melhor*. — E beijava meu pescoço enquanto tentava me convencer.

— Isso aqui não é real, Ana. E se não sairmos todas daqui, não vamos ter mais onde ficar. Ela precisa acordar. O corpo dela tá parando.

Ela revirou os olhos e, mais uma vez, desistiu de me convencer. Observei-a ir mais para o lado no banco da praça, o sereno da noite caía sobre nossos corpos. Bebi o quentão esperando acabar com a sensação de congelamento dos meus ossos. O sabor pronunciado do cravo me levava para as várias quermesses que fui com Ana, uma que se parecia com aquela ao meu lado, mas que, eu sabia, não era minha Ana por inteiro.

— Como você sabe que é real? Carne e osso? Porque posso não ter um corpo próprio, divido a casca com ela, mas existo. Como você sabe que não é só uma projeção minha?

Olhei para ela desconfiada, seus olhos castanhos brilhavam com a pergunta inteligente e profunda que tinha me feito, me olhando de canto, esperando que eu soubesse o que responder. A verdade é que a única coisa que me dava certeza de que não era apenas fruto da mente de Ana era minha fé. Eu tinha que acreditar, ou ficaria louca.

— Eu só sei — respondi, tímida.

Ana se esticou no banco, colocando o braço atrás dos meus ombros. A seu lado, Luiza apareceu sorridente. As duas se beijaram rapidamente e eu continuei encarando o copo de quentão, assistia à cena perifericamente. Preferia não ter de lidar com isso.

— Quem garante que você não é como *ela*? — Ana abraçou Luiza enquanto me provocava. O copo de quentão ainda parecia mais interessante do que cair na armadilha dela.

Pés com sapatos brilhantes apareceram à minha frente, levantei os olhos para ver André sorrindo para mim. Do meu lado, a mãe de Ana surgiu, seu pai, mais ao longe, atrás de nós, a primeira menina que Ana beijou, nenhuma dessas pessoas mexeu com meu emocional. Eu continuava bebericando o quentão enquanto assistia ao show de mágica que o inconsciente de Ana havia preparado. A última pessoa apareceu sentada a meu lado, seu cheiro de óleo essencial de lavanda era inconfundível, meu coração parou no exato momento. Pandora me olhou, seus olhos cheios de lágrimas, a boca comprimida tentando segurar um choro que eu já não tentava mais conter. Abracei-a e respirei fundo todas as fragrâncias maravilhosas de que me lembrava, ainda melhores do que minha memória havia guardado.

Todas as outras pessoas sumiram e ficamos nós, Pandora e eu, abraçadas no banco, sem dizer absolutamente nada. Entre nosso abraço só coube a saudade. Finalmente o cheiro do quentão foi substituído pela fragrância de lavanda. No assento do banco a lagartixa me observava cair na rede que Ana jogou.

19.

Aqueles olhos pequeninos me encaravam como se estivessem me julgando pela burrice da outra porta. Nunca pensei que um bichinho daquele tamanho pudesse me fazer sentir tão inútil. Parada no corredor do hospital, agora apenas à meia-luz, a lâmpada acima de nossas cabeças queimada, eu olhava a porta que surgira à minha frente quando o calor do corpo de Pandora ainda não havia se dissipado completamente do meu abraço.

Do corredor do hospital, agora pouco iluminado, observei seu início, longe dos meus olhos, em que só era possível distinguir o número 4 pequenino identificando o andar em que estávamos. O frio que eu sentia dominava meu corpo, mesmo que agora estivesse agasalhada, graças à última porta. Ou graças a *Ana*. Se ela conseguia controlar a roupa que eu usava, o que a impedia de controlar *a mim*?

A lagartixa continuava me encarando julgadora e não se movia do seu posto, só correu para baixo da porta quando eu dei um passo em direção à maçaneta.

Ainda focada na outra porta e nas palavras de Ana, eu só podia concluir que estava chegando perto, era por isso que ela queria me manipular. Querendo ou não, o inconsciente de Ana estava tentando protegê-la daquela que a tinha deixado naquele estado. Era plausível a tentativa de me afastar. Suspirei fundo antes de abrir a porta e dar de cara com o corredor do hospital, a lagartixa novamente na frente da porta, me encarando. Olhei para trás, procurando voltar por onde tinha vindo, mas não havia nada além de uma parede branca encardida. Abri novamente a porta e a mesma cena surgiu. Desesperada, porta atrás de porta, mais de dez vezes tentei cruzar seu batente e sempre voltava para o mesmo ponto: a lagartixa me culpando, a parede encardida atrás de mim, a porta fechada à espera. Talvez eu tivesse feito algo errado. Quem sabe aquele abraço em Pandora tivesse me custado todo o progresso até aqui.

Não podia ser isso. Senti um aperto no peito que começou pequeno como uma bola de gude e rapidamente foi se tornando um abismo, o próximo *big bang* estava acontecendo entre as minhas costelas, me sentei no chão sem conseguir respirar, apavorada com a ideia de perder Ana, de não encontrar o caminho para ela, ou pior, de *já tê-lo perdido*. E se eu não fosse a Victória real? E se cada poro da minha pele fosse uma mistura de lembrança e imaginação? Encarei minhas mãos trêmulas tentando desvendar o mistério na minha linha da vida. Diferente de Ana, para mim o choro vem largo e fácil. Por mais que eu não quisesse, naquele momento desandei a chorar sem destino, nenhuma daquelas lágrimas sabia para onde ia, muito menos eu.

Limpei as lágrimas tentando desembaçar meu campo de visão e procurei a lagartixa pelo corredor, o que era extremamente difícil levando em conta a iluminação. Perto de mim, ela me observava, mas agora seu pequeno olhar parecia me dizer algo que eu, na minha infinita ignorância, não poderia compreender tão facilmente.

Dessa vez, escolhi esperar a lagartixa seguir o caminho que ela quisesse e ir atrás dela. Desde o início ela foi minha guia nessa loucura toda, quem sabe agora ela pudesse me tirar dessa repetição angustiante. Levantei-me limpando no casaco o último vestígio do choro desesperado e ela pôs-se à minha frente, rápida. Durante o caminho tive que parar diversas vezes, com medo de pisar nela e da consequência que isso traria ali, a falta de luzes no corredor me tornara mais cautelosa. Corredor, escadas, portas, andei por alguns minutos até dar numa sala maior, mal iluminada, à minha frente algumas portas se apresentavam. Minha pequena guia, cansada do corre-corre, foi se aninhar no teto da sala sem me apontar uma direção específica. Da esquerda para a direita, tentei girar as maçanetas, todas as portas estavam trancadas, com exceção da última. Quando ouvi o barulho do ranger da madeira, respirei fundo e segui caminho.

O cheiro forte de mato entrou pelas minhas narinas e, automaticamente, meu corpo foi sendo revigorado. Inconscientemente, minhas pernas continuaram andando morro acima sem parar para reconhecer o terreno, quase como se eu já soubesse aonde ia. No meio do matagal, eu caminhava por uma pequena trilha formada pelo incessante andar de pessoas sobre a grama. Terreno íngreme, logo comecei a sentir o peso da caminhada, ainda que de certa forma estivesse acostumada a fazer trilhas.

Não sabia para onde meus pés estavam me levando. Talvez só Ana soubesse de verdade. No alto da colina uma casinha pequena de pedra se erguia, tímida e aconchegante. Era lá. Apertei o passo ignorando a respiração ofegante. No pé da colina, observei meu destino sem compreender por que eu me encaminhava para lá. Algumas respostas nos surgem antes da pergunta.

Ao abrir a porta, um cheiro de pedra molhada tomou minhas narinas, a casa estava vazia, lá dentro apenas pedras e memórias, a não ser pela cozinha, que tinha todos os móveis. Em cima da bancada, uma série de ingredientes: sal, pimenta, cebola, alho, azeite, cenouras, brócolis, batatas, salsinhas, cebolinhas, farinha de trigo e uma garrafinha com um caldo de legumes caseiro com um cheiro celestial. Reconheci os itens de uma de minhas refeições favoritas: a sopa de Pan. Minha comida para horas em que buscava conforto.

Lentamente, vesti um avental surrado, mas muito limpo, que descansava sobre a cadeira e iniciei o corte dos legumes. Comecei pela cebola e já não sabia se chorava pelo ardor ou por tudo o que sentia. Era difícil dizer com precisão, mas acredito que seja algo cíclico. Enquanto refogava os motivos da minha tristeza e sentia seu cheiro magnífico, cortava os legumes que iam encorpar a sopa poderosa que eu aprendera a fazer com minha tia. Depois de dourados cebolas e alho, adicionei os legumes picados e descascados, refoguei colocando um pouco de sal e pimenta e adicionei água. Aumentei o fogo, rezando para que a sopa logo ficasse pronta e que comê-la significasse algo além da minha necessidade de me sentir amparada. Isso podia me custar um tempo precioso.

Enquanto aguardava o cozimento, andei pela casa e procurei alguma pista, não sabia do que, porém, pareceu coerente fazê-lo. Nada chamou a atenção do meu olhar, era apenas um conjunto de pedras que, juntas, construíam uma casa vazia, úmida e triste. Ainda assim, aquele lugar parecia ser perfeito e aconchegante se tivesse a decoração correta. Quando todos os legumes já estavam macios, misturei água, farinha, sal e um pouco de azeite, até fazer uma massinha mole para colocar na sopa que borbulhava. O segredo de Pan era aquela massinha que cozinhava na água fervente, já no último minuto do prato no fogo, e crescia vistosa, boiando entre os legumes. Por último, coloquei cheiro verde e acertei o sal. Ali, dentro daquela panela, estava um pedaço da minha saudade. Sentei-me sobre a bancada com um pote nas mãos e comecei a comer, procurando naquela sopa um abraço. Como se meus olhos soubessem que o líquido da sopa estava repondo o que perdi enquanto chorava, as lágrimas começaram de novo a correr rosto abaixo, com tanta violência que eu já não sabia mais se abria a boca para colocar a comida ou se para buscar o ar que me faltava.

Voltei da crise graças à porta do armário que batia com força. Passado o susto, vi Samara servindo um prato a si mesma e vindo sentar-se ao meu lado, sorridente.

— O que você tá fazendo aqui?

— Vim conversar. Acho que você tá precisando de ajuda, né? — Ela esbarrou em mim de leve enquanto enchia uma colher com legumes e enfiava na boca. Soltou um gemido de prazer. — Mesmo não sendo real, que delícia de sopa. Parabéns, Vic. Mas, afinal, realidade é um conceito muito amplo, acho. — Na última frase ela visivelmente falava consigo mesma e não esperava que eu a respondesse.

— Eu sou real? — Tive medo do que ela diria. Se recebesse uma resposta negativa, ia morrer. Se fosse positiva, provavelmente eu desconfiaria. Uma projeção de Ana diria a mesma coisa.

— Se você quer saber se o seu corpinho está esperando no hospital que você acorde e traga Ana junto, a resposta é sim. Você não é uma projeção de Ana e ela também não me conheceu pra me projetar tão perfeitamente, concorda? — E dizendo isso desceu da bancada e deu uma voltinha para que eu a apreciasse devidamente. Realmente *era* Samara.

— Mas você me disse que não podia entrar na cabeça de Ana... Por isso *eu* tinha de vir... não tá fazendo sentido, Samara. — A dor no peito começava novamente do tamanho de uma bola de gude. Em breve se expandiria para dar lugar a um novo universo.

— Você acha que essa casa com cheiro de mofo é fruto da mente dela? — Ela me encarou debochada. — É *seu*.

Imagino que agora você quisesse um tempo só pra si. Desculpa interromper. — Ela segurou minhas mãos frias. — Eu vim aqui pra te dizer que você tá perto, eu sei que sim. Acredito em você, mas a fé de terceiros não vai te fazer alcançar seus objetivos. Vamos começar por aqui. — E fez um movimento que mostrava a cabana de pedra vazia. — Eu não posso ficar muito mais tempo. É perigoso demais invadir a mente de alguém dentro de outra pessoa, deus me ajude a sair daqui inteira. — E riu de forma nervosa. Ela tomou toda a sopa, lavou o prato e a colher, depois se dirigiu à porta. Antes de ir, agradeceu pela refeição.

— Termina sua sopa. Te vejo lá fora. — E saiu.

Eu tomei todo o conteúdo do pote, colher a colher. Na última colherada, senti algo metálico e duro passear por minha língua e instintivamente mordi com força. Cuspi na palma da minha mão uma pequena chave e uns pedaços de legumes.

20.

Ana nunca gostou de nada em *ordem*. Se a bandeira do Brasil tivesse sido feita por ela, os dizeres seriam: caos e progresso. Ela sempre conseguia seguir em frente, mas nada era organizado ou seguia o planejamento original. Isso me deixava profundamente angustiada e agora não poderia ser diferente.

A chave não abriu a porta da sequência, em vez disso, foi abrir uma porta aleatória das várias ali presentes. Inclusive, a quantidade de portas parecia ter aumentado, mas eu não tinha contado antes, então não saberia afirmar. Agora, a lagartixinha surgia alegre no balcão do bar que a chave desvelou e logo se escondeu atrás de uma coleção de garrafas de uísque. Ali, na escuridão e com uma música que eu não conhecia tocando alto, eu procurei entre as mesas algo que pudesse me indicar o próximo caminho. Encontrei ninguém menos do que Ana sentada em frente a um copo de cerveja escura, ela olhava o fundo do copo, compenetrada. Sentei-me a sua frente e sorri, agora muito mais contente em saber que eu era *eu mesma*, mesmo que ela tivesse tentado me enganar. Ao mesmo tempo que entendia os porquês do inconsciente de Ana, da proteção que ele acreditava estar fazendo, eu também era dominada por um sentimento de competição gigante.

Ana empurrou o copo de cerveja para mim e fez sinal para o garçom, pediu outra cerveja, em inglês. O idioma me despertou para o lugar em que estávamos, com certeza não era no Brasil.

— Aqui é o famoso Temple Bar — ela respondeu minha pergunta silenciosa.

— Sabia que você um dia iria me trazer aqui. — E sorri para ela, que não retribuiu a gentileza. Limitou-se a respirar fundo, irritada.

— Já que eu não vou conseguir te impedir de ir atrás dela, bebe comigo. Faz tempo que a gente não fica bêbada juntas. — Ana disse ainda meio de bico.

— Isso é uma armadilha? Tem algum tipo de sonífero aqui? — Eu ri sinceramente. Ela balançou a cabeça negativamente e começamos a bebedeira, provei a famosa Guinness, amarga e nem tão gelada quanto a gente está acostumada. Em meio a caretas e goles, lembramos do nosso último porre juntas na festa de casamento de um colega de faculdade. Era *open bar* e perdemos a conta de quantas taças de espumante bebemos, só me lembro de ficar na porta do banheiro, preocupada com Ana, agarrada ao vaso, passando muito mal. Lembro também de ter voltado para casa com um sapato só e era um dos meus pares favoritos, nunca mais o achei.

Quando já não conseguia mais me lembrar meu nome, encarei Ana, em silêncio. Eu estava tendo a oportunidade de conviver, ainda que minimamente, com uma Ana que perdi. Ela, tonta e com os olhos brilhando, me pareceu naquele momento muito próxima da minha esposa. A mulher por quem eu tinha me encantado aquele dia na livraria. De repente, percebi o quão idiota vinha sendo: aquela *era* Ana. O inconsciente dela é parte da mulher que eu amo, como eu tinha separado em duas partes uma coisa que é única? Talvez por essa descoberta, a frase que eu disse tenha saído tão naturalmente dos meus lábios, embora prefira culpar os fabricantes da Guinness.

— Porra, como eu te amo, Ana.

Ela levantou os olhos devagar e, mesmo sem dizer nada, seu corpo inteiro estremeceu em resposta. Ela me amava nas profundezas do seu inconsciente. Sorri com a revelação e encarei o fundo do meu copo, quase vazio. A princípio, achei que havia um desenho no vidro, então sacudi e percebi que o desenho se movia. Uma chave estava no fundo, mergulhada na cerveja escura e choca, meti os dedos para tirá-la, mas não consegui, só sentia meus dedos roçarem o vidro molhado. Então, dei uma de Dumbledore e bebi a cerveja quente, na tentativa de alcançar o objeto. Ana não estava mais na minha frente quando contemplei a chave dourada entre meus dedos.

21.

Naquele cemitério não havia grama, era só concreto e pedra. O lugar mais frio em que eu já estive, literal e metaforicamente. A luz crepuscular caía sobre mim e sobre os túmulos ao meu redor, a hora dourada e suas cores refletidas no granito e no mármore, flores mortas, vivas e de plástico seriam a composição perfeita para uma linda foto. Um vento frio veio soprar minha nuca nua e eu desejei não ter deixado o cachecol no banco do Temple Bar. Tive medo do que encontraria vagando por aquelas vielas que dividiam túmulos, meus pés pareciam estar colados ao cimento do chão, talvez de longe eu parecesse uma estátua do cemitério, parte da paisagem.

A verdade é que estava fincada ali metade por medo e metade por não saber aonde ir. Apertei minhas mãos e senti na palma a chave dourada que abrira a porta e que, diferente das outras, continuara comigo. Cansada de procurar pelo cemitério, encarei o chão, como se uma pedra falante pudesse me indicar o caminho. Por um segundo achei que uma pedra tinha se movido, até perceber que era a pequena lagartixa que, mais uma vez, enfrentava os obstáculos inversamente proporcionais a seu tamanho para me indicar meu objetivo.

Juntas, subimos a ladeira até o topo do cemitério, passando por túmulos com os mais diversos enfeites, alguns com esculturas que homenageavam o falecido. Minha favorita, aquela diante da qual parei para observar, era uma guitarra entalhada no mármore, na foto uma moça sorridente que provavelmente amava música. Os olhos daquela moça me hipnotizaram e eu tive que correr para alcançar minha guia. A lagartixa estava parada na maçaneta de um jazigo tímido e bonito, identificado por letras discretas. Nesse ponto eu já havia desvendado o enigma: as letras anunciavam quem estava ali: Família Matos. A porta preta me aguardava para desvelar os cadáveres da minha família em um só lugar: um condensado de saudade, tristeza e rancor. Acariciei a cabeça de pedra do gato que guardava as almas da nossa família, ideia de minha mãe: enterrar seu primeiro gato na entrada do jazigo da família, morto quando eu ainda nem havia nascido, para que ele cuidasse dela quando chegasse a hora. Ele foi o primeiro da família a chegar ao cemitério, mas poucos anos depois já tinha companhia. Eu nunca tinha estado ali depois de adulta, embora conhecesse os detalhes por intermédio de Ana. Lembrava-me tão pouco de como era realmente. Estivera ali muito pequena, arrastada por Pan, lembro de ter odiado cada momento. Foi Ana quem cuidou de tudo quando Pan morreu, eu estava ocupada demais chorando e me culpando.

Antes que eu pudesse colocar a chave dourada para abrir a porta, a lagartixinha entrou pelo buraco da fechadura. Dentro do jazigo entrava o fim da luz do entardecer, cuidei de acender as velas usadas que descansavam no balcão de mármore. Olhei atenta para os nomes entalhados na pedra branca. Marcela Matos. Minha avó. O sorriso dela brilhava, eu lembrava muito bem do cheiro dos cabelos dela, o mesmo xampu de erva doce que ela sempre usava. Parecia que tocar em seu nome frio agora me trazia às narinas aquele odor. Me perguntei se os cabelos dela ainda estariam intactos, e se ainda teriam o mesmo cheiro se eu pudesse aspirá-los. Convivi tão pouco com ela, faleceu quando eu tinha doze anos: Alzheimer. Sorri tristemente ao pensar na origem da doença que levara embora mãe e filha. Suas algozes eram também mãe e filha. Pensando melhor, acho que minha avó teve sorte. Paola só manifestou a necessidade de desmemoriar quando era criança. Ela provavelmente não teria sobrevivido à gravidez se Paola fosse como eu.

Eu só possuía aquela mulher como referência de avós. Os pais de Leonardo nunca tiveram contato comigo e o marido de vó Marcela tinha abandonado minha mãe e minha tia quando minha avó se recuperava do parto de Paola e Pan mal tinha aprendido a ler e escrever. Ele construiu outra família e morreu muito tempo depois, quando eu ainda não havia nascido. Todo o amor de avó que conheci estava ali, numa gaveta. Ou os ossos e cabelos que sobraram dele. Meu peito pareceu comprimir.

Logo abaixo dela estava Paola Matos. Mamãe querida. Não era a primeira vez que eu visitava seu túmulo, mas parecia que sim e eu não estava realmente lá. Que tipo de filha eu era? Me bastava tê-la dentro de mim vinte e quatro horas por dia, quando cresci, nunca senti necessidade de procurar seu caixão. Toquei na pedra e lembrei de cada palavra que ela proferira e que estava em minha memória, roubada ou própria. Lembrei do nosso encontro nas dunas, o calor infernal contrastava com o vento frio que cantava no cemitério. Ali, quem sabe inspirada pelo cansaço e pela experiência de estar na cabeça de outra pessoa, vivendo outra perspectiva, eu pedi perdão silenciosamente à minha mãe. Perdão por tê-la odiado em diversos momentos, aquele ódio era só o reflexo da ausência, era resultado do amor que eu desejava, teimosa que era. Eu tive o amor de que precisava, mas de outra pessoa, e ainda assim insisti numa possibilidade que jamais existiu em outro lugar que não minha própria cabeça.

Escorreguei meus dedos para o nome entalhado abaixo de Paola: Pandora Matos. Como se ligasse uma torneira, o toque na primeira letra de seu nome desencadeou uma cachoeira de lágrimas. Nunca fui visitá-la ali. E não porque já a sentisse por perto demais, como com Paola. Mas ver suas cinzas ali realizava a sua morte e, portanto, naquele momento, ela morreu novamente e eu chorei de novo como quando ouvi do médico que ela tinha partido. Fiquei de joelhos para ver de perto o nome dela. Quando me sentei no chão, o frio intensificou-se e à altura de meus olhos vi a lagartixa repousar sobre outro nome, de um corpo morto que eu não esperava encontrar ali:

Ana Cristina Franco
☆ *01 de maio de 1988*
† *29 de abril de 2019*

Novamente, virei estátua, uma escultura branca imóvel exceto pelos soluços descontrolados. Coloquei as mãos no bolso tentando esquentá-las e senti o metal frio encontrar meus dedos, encarei a chave que surgiu em minha mão: era da porta de nossa casa. Guardei-a de volta no casaco e com as mãos no nome de Ana eu inundei o jazigo.

22.

Contemplei nossa sala de estar, dessa vez um pouco diferente do que me lembrava, ainda assim muito familiar. Caminhei devagar à procura de quem quer que me levasse ao estágio seguinte, avistei a lagartixa na porta do nosso quarto e entendi que aquele era o sinal de onde eu precisava ir.

Quando adentrei o cômodo, os móveis estavam posicionados de outra maneira e um forte cheiro de urina empesteava o quarto. Deitada na cama estava Pan, Ana trocava sua fralda pacientemente. Mais uma vez, memória e imaginação se misturavam, mas eu só via o passado, imediatamente tranquei minhas lágrimas à beira dos olhos e me concentrei para não cair. Ainda tremendo e com os olhos inchados do encontro no jazigo, refreei meu corpo que ansiava correr para os braços de Ana e Pandora. Apenas me aproximei silenciosa da cama e observei o semblante cansado de minha tia, já nos seus últimos dias, ainda linda, mas muito cansada de viver. Ana limpou-a e colocou uma nova fralda, eu a ajudei a levantar o corpo magro e leve da cama. Ela passou óleo de lavanda atrás das orelhas e no pescoço de Pandora, aos poucos aquele odor foi substituindo o acre cheiro de urina. Dentro de mim, todas as Victórias que já existiram choravam, meu eu presente seguia firme, seca. Ambas paradas, Ana e eu, cada uma de um lado da cama, observei o semblante triste e exausto de minha esposa e me perguntei se aquela era outra forma de me parar. Senti que não. Era só um desabafo, talvez. Ana, que cuidou tanto de Pandora nos seus dias finais, que tinha construído com ela uma amizade, uma parceria, ainda que tivesse se negado a ir embora quando esta lhe pediu. Era compreensível que inconscientemente aquilo não estivesse superado, ninguém esquece facilmente aquele tipo de situação e, conscientemente, ela falava muito pouco sobre os dias finais de Pan. Antes, eu agradeceria por isso, pois sei que o motivo era minha saúde mental. Depois disso tudo, eu desejava que Ana compartilhasse comigo tudo o que a afligia, mesmo que o máximo que eu pudesse fazer fosse abraçá-la e chorar junto.

Naquele quarto, nada dissemos. Só passamos horas à deriva naquele sono pesado e dolorido em que Pandora se encontrava. Quando Ana pegou no sono debruçada sobre a cama, levantei-me e caminhei até a porta da Caixa. Em cima do tapete, uma chave repousava, ao lado de Amora. Fiz carinho no pelo longo da gata e suspirei de saudade. Algo me dizia que aquela era de fato minha companheira felina, só Deus sabe por quantos planos um gato pode andar simultaneamente. Quando levantei do chão e do afago saudoso, estava na sala lotada de portas.

23.

A luz do fim de tarde entrava na Caixa de Pandora como convidada especial, portas escancaradas recebiam o calor e a iluminação perfeita para uma foto. Procurei entre as prateleiras Ana escondida me esperando para mais uma conversa ou tentativa de me impedir de seguir em frente. De trás do balcão, ela surgiu sorridente com um livro nas mãos e colocou os pés sobre um banquinho, quase esmagando a lagartixa, que escapou por um fio e foi se esconder entre os livros, numa passagem secreta que apenas pequenos répteis conheciam.

— Finalmente, meu anjo! Preciso da sua ajuda pra organizar uns livros. Sozinha fica difícil.

— Vamo lá, anja. — Peguei sua mão, abraçando seu corpo e cheirando seu cangote pela primeira vez depois de vislumbrar um mundo sem ela. Eu poderia facilmente me viciar na fragrância do seu pescoço. Saí do transe e indaguei rapidamente *Cadê os livros?*

Ela apontou uma pilha no chão, sobre o tapete colorido que Pandora havia escolhido para enfeitar a livraria. Peguei o primeiro livro do topo: era *A teus pés*. O próximo também era, mas uma edição diferente. O terceiro, idem. Capas de todas as cores e anos se misturavam no amontoado de livros: todos eram *A teus pés*. Olhei ao redor, as prateleiras da Caixa guardavam lombadas e lombadas de Ana Cristina Cesar, não havia nenhum outro livro naquelas paredes, chão ou balcão. Um infinito de Anas, a minha gargalhou perante minha cara embasbacada.

— Quem vê acha que a gente só leu um livro na vida — ela falou, irônica.

— Isso é coisa sua, nem vem. — Tirei meu corpo fora enquanto folheava a primeira edição com as mãos trêmulas. Ela me abraçou por trás e lemos silenciosamente os primeiros versos do livro. Ainda que tenhamos passado os olhos por aquelas palavras tantas vezes nesses anos juntas, lê-las novamente e naquela situação parecia trazer um significado novo. E ao fundo o piano de bordel tocava.

Aos poucos, fomos tirando os livros do chão e os encaixando nas prateleiras vazias, enfeitando a Caixa com o livro que simbolizava nosso início compartilhando experiências. Eu me arrependo de muitas coisas na vida, nunca de ter emprestado meu livro a Ana. Sabendo de tudo o que eu sentia, ela guardou o último livro e me abraçou forte e demorado, aquele tempo suficiente para duas almas se fundirem. Com o nariz no meu pescoço, ela suspirou:

— Eu tô cansada. É muito difícil fugir de você... — O corpo dela amolecera nos meus braços.

— Então chega de fugir? — perguntei tentando esconder a esperança na minha voz.

Ana não me respondeu, só saiu do meu abraço, colocou ambas as mãos nos bolsos do meu casaco e deu um beijo no meu nariz, o lugar do meu rosto que ela podia alcançar sem ficar na ponta dos pés. Ergueu a mão esquerda diante dos meus olhos uma chave preta, pequena e delicada:

— Agora é sua vez — disse-me, entregando a passagem para a próxima porta, um passo mais perto de acabar aquilo tudo. Ou eu torcia para isso.

24.

Ao redor de uma grande mesa redonda numa sala muito iluminada estava sentada Ana. Ela apoiava o rosto redondo nas duas mãos, olhando desanimada para uma das lâmpadas piscando. Nem se deu o trabalho de desviar o olhar quando adentrei o cômodo, puxei uma cadeira e me sentei. E eu não fiz questão de ser silenciosa. Ela só me dirigiu a palavra quando pigarreei.

— Ah, já chegou — soltou entediada.

— Nossa, que empolgada.

Ela suspirou fundo e soltou um pequeno gemido de cansaço, depois se espreguiçou e voltou a apoiar o rosto nas mãos. Eu a olhava, incrédula.

— Meu deus, espero que você não seja a última Ana daqui.

Pela primeira vez ela sorriu e não parecia desejar estar em qualquer outro lugar. Mas o sorriso era debochado:

— Ahhhh, não. Essa aí vai demorar. Uma pena que eu não seja o suficiente pra você, amorzinho.

Meu coração se encheu de ódio e fiquei ainda mais irritada por ela me fazer sentir isso. Contei mentalmente até três antes de responder mal-humorada:

— Não me lembro de você ser tão debochada assim lá fora.

Ela deu de ombros e girou na cadeira de rodinhas, parecia uma adolescente:

— *Ela* segura muita coisa aqui. Acaba ficando acumulado. — E sorriu de novo, mais jocosa do que antes.

— Você me disse que tava cansada de fugir. Quando eu vou poder encontrar com ela?

Ela balançou o dedo indicador no ar, fazendo o universal sinal de não. Parecia que estava tentando me irritar mais ainda, resolvi esconder que estava funcionando.

— *Eu* não te disse nada. Foi outra Ana.
— Pelo amor de deus, quantas personalidades você tem? — perguntei, já exausta de começar do zero a cada nova porta.

Ela parou de girar na cadeira, meu estômago agradeceu, então seus olhos me encararam profundamente e suas próximas palavras foram muito sérias:

— Quantas personalidades *você* tem?

Foi inevitável revirar os olhos instantaneamente, mas meio segundo depois a pergunta fez muito sentido, e eu não tinha uma resposta. Senti minhas bochechas ficarem vermelhas e disfarcei encarando a mesma lâmpada que Ana antes observava. Ouvi-a rindo baixinho de mim.

— Quer dizer então que são várias Anas? — perguntei, enquanto encarava o pisca-pisca incessante.
— Quer dizer então que são várias Vics? — Ela sorria desafiadora.

A raiva dentro do meu peito só fazia aumentar.

— Agora você também é papagaio então? — falei, um pouco descontrolada. Foi o suficiente para diverti-la. Ela se arrumou na cadeira e depois de rir, vitoriosa, respirou fundo e começou a tagarelar:

— Temos várias personalidades, sim. Ninguém tem só um sentimento, opinião ou modo de ser dentro de si. A gente seleciona dentre todas as coisas o que vamos exteriorizar. Ela tem ascendente em libra, quer agradar todo mundo. — Apesar do tom irritante com que aquela Ana falava, eu não podia deixar de concordar. Ana sempre foi explosiva, mas só com pessoas íntimas, com o resto ela era extremamente cuidadosa, deixava de falar algo que pensava para evitar brigas. — Basicamente enquanto ela tá lá fora sendo educada e querida, tem umas 200 de nós aqui dentro gritando opções bem menos polidas. É um inferno.

Fiquei imaginando a quantidade de Vics que ficavam berrando coisas para mim mesma. Aquela imagem me perturbou. Mas provavelmente todas as minhas personalidades ficam se olhando sem fazer absolutamente nada.

— Ok, então você não vai me deixar encontrar o consciente? — Percebi que toda a conversa na verdade apontava para essa conclusão horrível.

Ana levantou as sobrancelhas e começou a amarrar o cabelo para cima, ela costumava fazer isso quando ficava nervosa.

— Se dependesse de mim você não passava daqui. Infelizmente somos uma *democracia* — ela disse a palavra como se tivesse cinco anos de idade, fazendo chacota —, e vamos fazer uma reunião pra ouvir todas. Normalmente não somos tão maniqueístas, mas vamos ter que tomar uma atitude drástica pra ouvir todos os pontos.

— Reunião? — Olhei a meu redor e de repente fez muito sentido a quantidade de cadeiras vazias em volta da mesa. Eu mal conseguia lidar com *uma* delas, o que seria de mim com cinquenta? — Eu vou ter direito de voto?

Ela me olhou de canto de olho, o sorriso gigante no meio do rosto magnífico e, apesar do silêncio, eu entendi que o esticar de lábios me respondia *Não aqui*. Ela começou a falar, de repente, como se estivessem ali uma quantidade enorme de pessoas, comecei a procurar com quem ela falava, já que só estávamos ela e eu no cômodo.

— Bom, meninas, estamos aqui hoje pra decidir o que fazer com essa invasora. Eu gostaria de deixar destacado o fato de que eu fui contra, desde o início, por mim ela não teria nem entrado.

— Ainda bem que não depende de você, Debochada. — Outra Ana surgiu na ponta da mesa, lixando as unhas já muito curtas. Ela piscou para mim.

— Ah, pronto. Chegou a Safada. — Fiquei desviando entre uma e outra Ana enquanto elas debatiam, assistia a tudo como a um jogo de tênis de mesa. Aos poucos, mais Anas iam aparecendo e completando a mesa, umas me olhavam feio, outras sorriam, uma delas me roubou um beijo antes de sentar na cadeira e começar a cuspir argumentos para a Debochada que basicamente estava respondendo a tudo, como já dizia seu apelido, debochando.

— Confusa, por favor, decide logo o que você quer... — A Ana Ponderada conversava com a outra que tinha a expressão apavorada no rosto, ela olhava para mim e para os outros inconscientes numa expressão de desespero constante.

— Não tem como tomar decisão assim! Olha a situação lixo que a gente tá! — A Chorosa caía em lágrimas a todo e qualquer comentário feito pelas companheiras.

— Quer dizer que vocês querem simplesmente voltar a conviver com esse *monstro*? — A Raivosa apontou para mim no meio da briga, eu só consegui dizer *Ei!*, contudo, ninguém me ouviu.

— A outra opção é morrer, aliás já começamos. — A Ponderada jogou as cartas na mesa.

— Morrer é melhor do que a vida que estamos levando. — Essa Ana mexia desolada numa caneta enquanto proferia palavras negativas.

— Nós éramos muito felizes antes disso. Não exagere, Exagerada — disse a Ponderada. Exagerada, com a mão no peito, fez uma cara muito ofendida com o comentário.

— Mesmo que estivéssemos felizes, era só uma ilusão — disse a Negativa.

— Não! Nós amamos ela! — gritou a Apaixonada.
— Amor não resolve nada — disse a Ponderada.
— Amor uma ova — vociferou a Raivosa.
— Ai, que saudade da Luiza... — disse a Debochada me olhando de canto.
— Meu deus, o que vai ser da gente? — chorou a Chorosa.
— Já chega.

Outra Ana surgiu em pé na porta. Não estivera ali durante a balbúrdia, essa era nova. Ela andou devagar até a mesa e se sentou sobre ela. Todas as outras a encaravam, em silêncio. Seus olhos estavam parados em mim, todo o tempo.

— Vic, nós vamos deixar você encontrar com ela. — Todas as Anas berraram, algumas comemorando, outras protestando, por dois segundos o inferno tinha retornado, a nova Ana deu um berro e todas se calaram. — Mas tem uma condição.

— Eu aceito — respondi sem a menor dúvida.
— Você nem sabe qual é.
— Não me importa. Eu só quero encontrar com ela. — A nova Ana arregalou os olhos, surpresa, depois sorriu.
— Você vai deixar *ela* decidir se você vai ou fica. — Olhei sem entender nada, me sentia a própria Ana Confusa.
— Eu sempre deixei — retruquei baixinho.
— Não minta. Não pra mim. Você mandou a gente embora, depois nos chamou de volta. Agora é nossa vez de decidir o que acontece, 100%. Combinado?

As Anas me encararam ansiosas. Fazia sentido. Eu nunca dei espaço e tempo suficiente para que Ana decidisse por si só se queria estar perto ou longe. Eu me aproveitei do amor que ela sentia por mim quando a quis de volta. Tudo isso me fez me identificar muito com a Ana Chorosa, que ainda soluçava baixinho na sala de reuniões.

— Justo.

— Tem outra coisa. Nem pensar em desmemoriá-la, em nenhuma hipótese. Muito menos para fazê-la esquecer caso terminemos.

Senti minhas sobrancelhas franzirem automaticamente, parecia ter perdido o controle das minhas expressões faciais:

— Eu *nunca* desmemoriei vocês. Não conscientemente. E não sou a minha mãe. — A raiva emanava de cada palavra proferida por mim.

— Exato. A gente sabe. Mesmo assim, você precisa controlar seu inconsciente. Você desmemoriou algumas coisas sem perceber e o resultado são muitas portas vazias. Ninguém se lembra o que tinha ali, mas faz falta. Pra ficar perto de nós, se for de escolha dela, você precisa ter pleno controle de si mesma. Resolve isso, dá seus pulos.

Senti meu coração diminuindo aos poucos até virar um grão de arroz: eu realmente tinha desmemoriado Ana sem querer, provavelmente enquanto ela dormia, quando ficava doente, enquanto transávamos. Essas situações nos deixam muito vulneráveis e eu fui ingênua de pensar que o convívio direto comigo não lhe faria mal. Cada vez fazia mais sentido que elas não quisessem viver comigo. Mesmo com o peito apertado, respondi firme:

— Eu só quero que vocês existam pra poder tomar a decisão. Isso não vai acontecer se vocês não me mostrarem onde ela está.

Ela fez uma careta e todas as Anas da sala se entreolharam, como se escondessem algo muito importante de mim.

— O negócio é o seguinte, amor... — ela começou a falar devagar como quem mexe numa colmeia —, a gente não consegue, vai ter que ser você. Ela tá trancafiada lá e nenhuma de nós pode ir. Somos muito fortes, mas há limites. Esse é um deles.

Respirei fundo, olhei para a lâmpada piscando e identifiquei a pequena lagartixa caminhando sobre o seu sol frio particular. Quando baixei os olhos, todas as outras Anas haviam desaparecido e me restava a Ana Verdadeira, esperando minha resposta, mas eu respondi com outra pergunta, uma que eu temia demais ser respondida:

— Lá onde?

25.

Todas as Anas me levaram até a última porta. Era só uma, na verdade, mas eu sentia a presença de todas emanando ao meu lado. Encarávamos a porta, sem dizer nada. A lagartixa esperava no teto, escondida de Ana, parecia saber que deveria desviar de seu caminho para evitar um surto por causa da fobia, quem diria que um pequeno réptil seria tão delicado e teria tão boas maneiras.

Ana segurou minha mão e nos olhamos por alguns momentos antes de entrar. Acho que já tínhamos esgotado as palavras possíveis e é melhor calar para evitar os vocábulos impossíveis. Antes que eu entrasse e depois que a pequena lagartixa se esgueirou porta adentro, espiei Ana e senti-as todas me olhando apreensivas. Quando fechei a porta atrás de mim, levei comigo a esperança de todas elas.

Estava escuro, exceto pela luz da lua que entrava tímida pela janela do quarto do hospital. Aos poucos minha visão distinguiu, deitado na cama, o corpo de Ana. Exatamente como ela estava quando a beijei antes de entrar em sua mente: adormecida, fraca, quase morta. Iluminado somente pelo luar, seu corpo inerte me lembrou de Ofélia boiando no rio e de Virginia Woolf com os bolsos cheios de pedras entrando no rio. Minha companheira, namorada, esposa, a mulher que eu escolhi e por quem fui escolhida, totalmente entregue, corpo vazio, deixando que as águas decidissem seu destino.

Dei dois ou três passos em direção a Ana antes de bater em uma parede invisível com meu nariz. Cambaleei tonta para trás, o impacto da batida fazia minha cabeça latejar, meu nariz sangrava. Mesmo ali, na mente de Ana, em que meu corpo não era meu corpo, eu sangrava. Decidi encarar aquela mancha vermelha nos meus dedos como uma metáfora da vida, lá fora eu ainda deveria respirar. Lembrei de Samara me esperando, se arriscando ao entrar no meu subconsciente, tudo para evitar que eu enlouquecesse aqui.

Coloquei a mão sobre a parede invisível que nos separava. Minha amiga lagartixa surgiu correndo pela superfície inexistente e parou em cima da minha mão. Pela primeira vez a olhei de perto e sorri. Para Ana ela significava medo irracional e incontrolável. Para mim ela tinha sido companheira. Pequena e clara, seus olhinhos esbugalhados guardavam algo de afetuoso que eu não havia visto em outros olhos. Talvez nos de Ana. Ela interrompeu minha análise e voltou correndo para a superfície translúcida, mas, indecisa que só, logo virou. Olhando de perto, porém, aquela não era minha amiga. Essa tinha um cotoco no lugar do rabo. Outra lagartixa apareceu, bem maior do que a primeira. Em seguida, uma atrás da outra, a parede invisível tornou-se uma parede de lagartixas de todos os tamanhos e cores: marrons, pintadas, elas trocavam de cor para se camuflar ao ambiente. Do chão ao teto, jacarezinhos de parede cobriam minha passagem em direção ao consciente de Ana. Não sabia se minha guia estava ali, não era mais possível distingui-la.

Respirei fundo e tentei afastá-las batendo o pé. Obviamente não funcionou e, tive a impressão, riram baixinho de mim. Gritei alto até minha garganta doer. Nada. Eu não queria machucá-las, não iria bater em nenhuma, então, decidi tocar com leveza nelas e tentar movê-las, mas provavelmente não foi uma boa ideia. Elas começaram a subir pelo meu corpo, sua pele fria me causando calafrios, algumas foram entrando por meu casaco, outras se enroscaram no meu cabelo, nunca tive medo de lagartixas, mas a sensação era horrível. Mais de cem pequenos répteis passeando livremente por meu corpo, eu me debatia e tentava tirá-las de mim, joguei algumas longe, mas elas voltavam correndo na minha direção. Comecei a chorar, mas eram tantas lagartixas em cima de mim que as lágrimas não tinham espaço para correr, logo deslizavam sobre o corpo das descendentes de dinossauros. De repente entendi o que Ana sentia. Sabia por que ela tinha tanto pavor daqueles animaizinhos. Minha vista foi ficando turva, fechei os olhos e senti que minha pressão caía. Eu ia desmaiar.

Aí me lembrei que as lagartixas eram animais muito interessantes. Elas possuíam as setas nas patas, uma espécie de gancho que lhes permitia andar por superfícies lisas desafiando a gravidade. E aqueles ganchos eram tão sensacionais que trocavam elétrons com paredes, vidros — e com a minha pele — e causavam algo chamado Forças de Van der Waals. Isso possibilitou que cientistas inventassem adesivos e curativos, tudo baseado em lagartixas e em seu jeito especial de grudar nas coisas. E a quantidade de insetos que ela come? Baratas, aranhas, mosquitos, incluindo os que transmitem dengue e malária. Também são capazes de se camuflar e sua maior defesa é ficar imóveis e escondidas em ambientes, inclusive nos mais perigosos. Então eu lembrei que nunca temi lagartixas. Esse medo era de Ana. Parei de me debater e de chorar, fiquei imóvel. Automaticamente, elas começaram a descer, devagar, depois mais rápido, e logo estavam no chão e na parede invisível. Agora mais esparsas, alguns buracos me deixavam ver Ana, imóvel, quase sem respirar. Eu precisava chegar até ela.

Meus próximos passos não foram calculados nem raciocinados, eu só segui meus instintos e tomei distância, depois corri em direção ao nada e joguei todo o peso do meu corpo onde deveria estar a parede invisível. Saí rolando quarto afora e fui parar só quando bati na parede do outro lado do cômodo. Agora eu era, mais do que nunca, uma coleção de hematomas. Levantei-me devagar e me aproximei da parede, agora do outro lado. As lagartixas continuavam ali, aderidas à superfície inexistente, algumas delas tinham vários ovinhos em suas barrigas tão transparentes quanto a parede.

 Encarei Ana na cama: olhos fechados, nenhum movimento a não ser o da respiração já fraca. Ali, chorei mais uma vez, mas em silêncio e focada em tirá-la dali, de uma vez por todas. Seu consciente, fraco, desacordado, esteve separado de todas as suas memórias, desejos, anseios, de tudo o que permanece inconscientemente conosco. Elas precisavam ser uma de novo. Eu não sabia como. E se eu a removesse dos aparelhos e ela morresse? O que ia acontecer? Será que, ao menos, saberíamos que ela estava morta? Ou ficaríamos pra sempre presas naquelas milhares de portas? E eu, iria morrer também? Ficaria presa pra sempre com as Anas infinitas que, muito provavelmente, iriam me trucidar? Senti meu coração acelerando, o ar não entrava nos meus pulmões, por mais que eu puxasse, um desespero gigante veio me fazer companhia. Enquanto eu chorava e mexia delicadamente nos dedos de Ana, senti sua mão esquelética apertar a minha.

26.

Os olhos de Ana estavam abertos, esbugalhados, queriam saltar das órbitas. Os bipes da máquina gritavam, avisando que o coração dela acordara do coma, mas estava prestes a explodir. Ela olhava ao redor do quarto, observando, em pânico, chamando meu nome, como se não pudesse me ver a um palmo do seu rosto, completamente desesperada. Olhava para a poltrona amarela, vazia, e berrava, chorava, como se estivesse vendo um fantasma. Todas as lagartixas corriam descontroladas e sem destino pela parede inexistente.

    Com o rosto dela nas mãos, desisti de tentar sobrepor sua voz, eu apenas balbuciava, chorando: *Tô aqui, tô aqui.* Ouvi meu nome sair da boca de Ana por mais alguns minutos antes que ela finalmente parasse de falar, depois de se mexer, e, enfim, entrasse num estado catatônico enquanto encarava a poltrona amarela. Se antes eu não sabia o que fazer, agora estava totalmente perdida, muito mais do que fiquei em quaisquer daquelas portas. Sentei-me na poltrona que ela encarava, implorando para que ela conseguisse me ver. Depois de um tempo, Ana caiu no sono, ou voltou ao estado de coma, eu não saberia dizer. Queria crer que fosse apenas cansaço da crise que tivera. Deixei-a dormir enquanto escutava a máquina bipar me avisando do batimento cardíaco ritmado de quem dorme tranquila. Ou isso, ou a máquina havia pifado e ela estava morta. Não havia mais nenhuma lagartixa na parede que nunca existiu. Senti meu corpo estremecer quando me dei conta disso, segundos antes de cair num sono agitado.

Acordei com o barulho do choro de Ana. Um choro que eu conhecia tão pouco. Abri os olhos devagar e a vi encolhida, de costas para mim, como se tentasse se esconder. Vagarosamente, passei a mão em seu braço cheio de escaras. Ela se virou, me olhou assustada, abraçou-me forte e chorou por tempo suficiente para que eu chorasse também — e copiosamente. Depois de quase um ano, aquele era o mais próximo que eu chegava da Ana que eu conheci antes do coma. E, ironicamente, nem ela, nem eu, éramos as mesmas que havíamos sido um dia.

— Isso é um sonho? — ela disse com o rosto enfiado no meu pescoço.

— Quase isso...

— Ou pesadelo... — Ela me olhou apavorada. — Mas você tá aqui, e *viva*, então deve ser um sonho.

— Como assim? — perguntei verdadeiramente confusa.

— Mais cedo... eu acordei, vi você ali — ela apontou para a poltrona — imóvel... ninguém conseguia te acordar... te levaram pra outro lugar. Não sei onde. — E começou de novo a chorar como se fosse criança pequena, agarrou meu pescoço como se fosse me perder a qualquer momento.

— Tinha mais alguém no quarto? — perguntei, esperando ansiosa para confirmar minhas suspeitas, ao mesmo tempo desejando que estivesse redondamente enganada.

— Médicos, enfermeiras, uma moça... não sei quem é.

— Samara — falei baixinho.

— Quem? — Ana me encarava, o rosto lavado de lágrimas, seu corpo todo tremia. — Vic, o que tá acontecendo? Que lugar é esse? Por que eu tô *assim*? — E abriu os braços para que eu pudesse ver seu corpo franzino e doente.

— Meu amor, antes de tudo: isso não é um sonho, nem um pesadelo, é tudo real.

— Do que você tá falando? Então antes foi um sonho? — Ela observou o quarto todo, procurando mais sinais de que, sim, estávamos num devaneio onírico.

— Não, quer dizer, eu acho que não... Mas isso aqui é real, só que está acontecendo aqui. — E toquei na testa dela. Ana me olhava, perdida. Percebeu meu rosto queimado, tocou de leve em uma das queimaduras e eu estremeci de dor.

— *O que aconteceu com você?* — Ela agora investigava cada canto do meu corpo com hematomas ou manchas de queimadura.

Eu não sabia como explicar para ela onde estávamos. Não sabia direito o que tinha acontecido, porém parecia que Ana havia acordado e dado de cara comigo inconsciente naquele sofá. Só assim fazia sentido ela ter gritado meu nome durante tanto tempo. Será que eu tinha morrido mesmo? Bom, isso não importava tanto agora. Se a resposta fosse sim, não havia o que fazer. Se fosse *não*, eu precisava sair o mais depressa possível dali. Eu só sairia dali com Ana junto de mim.

Respirei fundo, tentei não planejar o que diria porque, afinal, não havia forma lógica ou minimamente coerente de explicar. Tudo era extremamente inverossímil. Então falei sobre tudo o que consegui me lembrar: contei do coma, de como eu tinha andado desolada, de como Samara veio me trazer esperança de reverter aquela situação, mas quando tentei explicar tudo que vivi dentro da mente dela, travei. Tudo parecia loucura ou invenção, como eu podia descrever em palavras algo que eu mesma não compreendia por inteiro? Não sabia dizer o que tinha experienciado, sabia apenas que tinha transformado minha percepção sobre mim, sobre Ana, sobre nós, sobre minha família. Era como se tivéssemos sido derretidas, metal líquido, depois fundidas. Porém, até que ponto aquele sentimento era permanente ou fruto da minha estadia longa demais na cabeça de Ana? Como uma hóspede mal-educada que simplesmente não entende as dicas da anfitriã de que a hora do *check-out* passou há muito tempo. Suspirei, exausta de me sentir completamente maluca, sem saber como pôr em palavras o redemoinho de lembranças, sentimentos e ansiedades que eu guardava. No fim do meu longo suspiro, senti uma mão tocar no meu ombro, firme. Eu conhecia aquele toque.

— Deixa com a gente agora, anjinha. — A voz debochada de Ana veio a meu resgate. *Debochada.* Jamais achei que ficaria genuinamente feliz de vê-la novamente. A Ana consciente, que antes já estava completamente desvairada, encarava a Debochada como se fosse ter um treco; ela me olhou, num pulo:

— E você me dizendo que isso não é sonho?! — E apontou pra sua clone mais saudável e bem-vestida, encostada na parede acendendo um baseado.

— Vamos supor que seja um sonho. O máximo que vai acontecer é: acordamos e seguimos nossa vida normalmente. — Ela disse zombeteiramente enquanto soltava a fumaça, ainda com a voz embargada. — Agora, se não for um sonho, você precisa escutar com carinho e atenção se quisermos acordar e seguir com a nossa vida — ela me olhou, o sorriso de escárnio estampado na cara —, e por "nossa" eu não incluo você, sanguessuga.

— Por que *você*? Não tinha nenhuma Ana mais diplomática pra fazer isso? — Admito, perdi um pouco a compostura. O que só pareceu diverti-la ainda mais.

Por um segundo, esqueci-me de Ana, consciente e confusa, sentada na cama. Encarar os olhos da outra Ana parecia mais urgente, tamanho desconforto ela me causava. Ao me

voltar para Ana, achei que presenciaria um desmaio. Ela não proferiu nenhuma palavra, muito porque sua atenção estava na terceira Ana que adentrara o quarto e agora sentava-se na poltrona, com os pés no braço puído. Ela me jogou um beijo de longe. Reconheci seu jeito jocoso e lascivo. Era a Ana Apaixonada. O deboche em forma de Ana grunhiu algo, irritada:
— Eu não sou a única presente, *infelizmente*.

Lentamente, em cada ponta da cama, no batente da porta, entrando pela janela, simplesmente surgindo a meu lado, muitas Anas encheram o ambiente. Algumas me lançavam olhares de ódio, outras, de pena, e havia aquelas que me ignoravam por completo. Lentamente, me arrastei até a porta e ouvi-a bater, suave, atrás de mim. O corredor do hospital se esticava à direita e à esquerda. Uma luz branca piscava incessantemente. Repousando no bocal da lâmpada estava a lagartixinha.

27.

Sentada no corredor, abraçada aos meus joelhos, pode ser que eu tenha adormecido — de novo. Meus ossos doíam, as queimaduras na pele ardiam e uma nova dor surgia no meu peito. Como se algo iminente me espreitasse. Foi a Ana Triste quem me balançou de leve e me ofereceu a mão enquanto eu ainda acordava assustada. No quarto, deparei-me com Ana sentada na cama, abraçada por mais três Anas, uma delas a Apaixonada. Outras tantas choravam pelos cantos do quarto, acho até que vi lacrimejar a Debochada, embora ela tenha limpado os olhos muito rapidamente quando me viu entrar.

Algumas palavras sussurradas no ouvido, beijos na testa e agradecimentos, Ana olhou-me, os olhos profundos não me diziam nada. Meu coração acelerado queria sair do meu corpo e buscar esconderijo em qualquer canto que não fosse meu peito. Não o culpava.

— Meninas, tudo bem se conversarmos, ao menos *presencialmente*, só Vic e eu? — Ela disse olhando os pedacinhos dela mesma. Num piscar de olhos, literalmente, todas elas sumiram e restou minha esposa, exausta, mas muito menos confusa aparentemente, me encarando. Ela colocou a mão na cama, me chamando para sentar pertinho dela. Enfim, disse:

— Você apanhou um pouco delas, então? — Ela sorria, parecia mais calma. Vi naquele sorriso um quê da Ana Debochada.

— Bastante. — E não era mentira.

Ficamos as duas em silêncio, apenas nos olhando. Ela sorriu para mim, um sorriso triste.

— Quase um ano. — Senti uma dor no coração que atravessou todo meu corpo. — Há quanto tempo você tá dentro de mim? Elas não souberam dizer.

Precisei pensar um pouco e tentei calcular, mas, por fim, desisti. Não sabia. Dei de ombros, derrotada. Ela balançou a cabeça positivamente, pensativa, encarava o chão.

— Não sei o que fazer — ela desabafou, depois de um tempo em silêncio.

— A gente precisa sair daqui, amor... — eu falei, convicta dos nossos próximos passos.

— Você, sim. — Ela pareceu temer proferir o resto da frase. — Eu, não sei. Não me lembro de nada. Não sei se eu sei quem eu sou. Eu perdi *um ano inteiro*. Mesmo que agora elas estejam aqui dentro de mim, tudo mudou. Até você parece só uma lembrança muito distante, apagada, enterrada em algum lugar. Agora, eu? Me sinto, não sei, acho que a palavra é *vazia*. Ainda que agora eu saiba que há um exército de Anas vivendo na minha cabeça. Você me disse, no meio disso tudo, que não sabe se você está morta ou viva. Se eu voltar, talvez eu não tenha você, e isso me dói muito. Ainda que *a gente* pareça só uma história que eu ouvi há muito tempo. Mas e eu? A única certeza é que *eu* não estou lá. Não sei se vale a pena...

Todas as minhas certezas caíram por terra. Cheguei a abrir a boca, mas não saíram palavras, nem balbucios, nada. Fiquei encarando os olhos cansados de Ana, e, por um momento, enxerguei um abismo. No meu âmago, eu compreendia aquela pulsão de morte. Mas não queria desistir. Não dela.

— Eu entendo como você se sente. Eu senti isso muitas vezes, em situações distintas, mas principalmente quando Pandora se foi. Nada fazia muito sentido. Eu me sentia culpada porque, no fundo, sabia que a culpa era minha, e eu tava certa, né? Hoje eu sei. Eu não podia estar perto de você, porque não queria te fazer mal. Na maioria dos dias eu bebia demais, me destruía e destruía outras pessoas, nos raros momentos de sobriedade cogitei algumas formas de acabar com tudo aquilo, mesmo sem saber se funcionaria. No fim, eu simplesmente fui egoísta e te chamei de volta. E agora, você e eu estamos aqui, dentro da sua cabeça. Se sairmos, não posso te garantir que eu vou estar viva, contudo, mesmo que eu esteja, e eu espero que sim, ficar comigo não é uma obrigatoriedade, Ana... Você chegou nesta situação por culpa minha. Eu me arrependo muito de ter deixado tudo isso acontecer... me perdoa. — E tive que parar porque não sabia mais se falava ou soluçava. Ana me abraçou e chorou comigo. Seus dedos compridos seguraram meu rosto e, ainda com lágrimas escorrendo, me disse:

— Eu tenho muitas portas vazias. Contudo, sei que escondido embaixo de algum tapete está tudo isso que eu sinto por você e eu nem sei dizer o que é. É uma mistura de sentimentos tão maluca... Eu sinto raiva, mágoa, paixão, amor, pena, ressentimento, admiração, algumas outras coisas que eu não sei o que são. Agora, nesse exato momento, eu não consigo alcançar nada disso. Agora, se você e eu sairmos por essa porta, sabe-se lá pra que realidade, nem sei dizer se isso tudo nem é mesmo um sonho, mesmo assim, te garanto: vou dar tudo de mim pra me encontrar novamente. Pra preencher as portas. Pra tampar esse buraco. — E apertou o peito, eu a abracei de novo. — Vic, eu não sei se eu quero ficar com você. Eu não quero se for pra viver isso que você e eu nos tornamos. Sei que você disse que agora entende mais sua natureza, como controlar, que você tem recebido ajuda, sinto que você, de alguma forma, dentro de mim, se encontrou. Mas a verdade é que você, e todas elas, me falaram que eu sou o consciente, que eu vou *unir* todas as Anas, mas *eu não sei quem eu sou*. E sem mim eu não posso amar ninguém. Se um dia eu me encontrar, se você souber viver sem anular quem eu sou, se depois disso tudo ainda fizer sentido pra nós duas, então sejamos duas de novo. Mas primeiro eu preciso ser eu.

    Nesse ponto, eu já não sabia mais respirar e chorar soluçando parecia ser o jeito rotineiro de colocar ar nos pulmões. Ana segurou minha mão, fez carinho bem em cima de uma queimadura, limpou meu rosto encharcado e me beijou. O beijo mais agridoce que já troquei com alguém. Devagar, nos movimentamos silenciosas, tiramos todos os aparelhos que ainda ligavam Ana àquela cama, ajudei-a a se levantar, fraca como estava, ela pôs-se de pé, se apoiando no meu ombro. Àquela altura, não havia mais nenhuma lagartixa em nenhum lugar. Nem mesmo a filhote que me guiara todo aquele tempo. Meus dedos enlaçaram os de Ana e, devagar, nós saímos daquele quarto para contemplar a escuridão vazia e imprevisível.

28.

Nas minhas papilas gustativas explodiu o sabor pronunciado do mel da florada do café, era só esse o tipo que entrava na nossa casa. Com os dedos eu pressionei levemente os farelos de pão caídos no prato e lambi meu indicador: não iria desperdiçar nada daquele pão maravilhoso. Minha cabeça doía levemente, eu já estava um tempo sem desmemoriar para testar meus limites, começava a compreender os sinais que meu corpo dava. Se eu não ficasse tanto tempo sem absorver lembranças era mais fácil evitar a desmemoriação involuntária. Não queria fazer mal a ninguém que convivia comigo naqueles dias. Só a breve lembrança de Ana no hospital me fez estremecer, ou talvez fosse o vento frio de junho.

Perdida em memórias, o que parecia ser a maior recorrência na minha vida, levei um susto quando recebi um abraço pelas costas e um cheiro no pescoço. O cheiro virou beijo e, quando percebi, o calafrio de frio se convertia em outro tipo de arrepio.

— Quer dizer que a Ana Safada chegou? — falei enquanto me levantava para encarar os olhos castanhos da minha esposa.

— Ô se chegou... — ela falou baixinho um segundo antes de colar os lábios nos meus. Um beijo que começou como um carinho de bom dia rapidamente foi esquentando e logo estava sentindo na língua o gosto de pasta de dente da sua boca. Senti meu corpo desfalecendo levemente, aquele tremor de pernas que esteve presente no primeiro beijo e nunca mais fez as malas para ir embora. Quando ela se afastou de mim, com um sorriso, eu ainda estava tonta. Continuamos abraçadas, o semblante dela, ainda calmo, deixou transparecer uma delicada melancolia:

— Hoje faz um ano...

— Eu sei — respondi antes que ela detalhasse mais o evento que fazia aniversário. Não era preciso forçar tanto a memória, só ia trazer sofrimento. — E como você tem se sentido?

Ela revirou os olhos, fugiu dos meus braços e saiu cozinha afora em direção à sala de estar:

— Bem, Vic! Já te disse, não precisa me perguntar *todos os dias* se vou entrar em coma de novo. Sua *chata*!

As últimas palavras foram gritadas, ela estava longe, talvez na Caixa. Amora veio se esfregar nas minhas pernas, aproveitei o momento de carinho e peguei a gata no colo, encarei seus grandes olhos amarelos e perguntei: *Você também me acha chata, Amorinha?* Ela miou baixinho, o que significava *Minha resposta depende da quantidade de peixe que você vai me dar*. Coloquei-a no chão e ela começou uma dança se enroscando em mim no intuito de me seduzir a dar o pote de peixe todo. Funcionou. Enquanto ela se deliciava com os peixes eu pensava no almoço vegetariano que eu ia preparar para nós. Um ano fora do coma. Precisava ser algo especial. Talvez uma macarronada? Ana era grande fã de massas, eu também. De repente eu poderia testar minha máquina nova de macarrão e tentar fazer massa fresca. Agora faltava decidir o molho.

— Amor, você prefere um molho branco ou vermelho pra comer com macarrão? — fui berrando até a Caixa.

— Eu prefiro um molho pesto, *amor*. — Samara estava parada na porta da livraria com uma mala gigante ao seu lado. Sentada na mala, Ana iluminava o ambiente com seu sorriso.

— Desgraçada, o que você tá fazendo aqui?! — Corri pra

um abraço na minha amiga. Tinha engordado, seu cabelo estava mais curto e ela cheirava muito bem. Samara já era linda, agora estava um deboche. Que saudade da voz dela no meu ouvido todos os dias. — Você sabia disso? — acusei Ana de ter armado aquele crime hediondo de trazer minha melhor amiga para nossa casa. As duas riram da minha cara. Sempre foi fácil me enganar.

— Coincidiu de Samara estar por perto, terminou de ajudar mais uma de vocês, então eu sugeri que ela viesse pra cá antes de voltar pros afazeres. — Ana abraçou Samara. — Eu queria comemorar esse aniversário juntas, já que a gente saiu daqui juntas, né? — E apontou para sua cabeça.

Era lindo ver como as duas tinham construído uma amizade em pouco tempo. Mesmo depois de tudo o que aconteceu após a saída do coma, o afastamento, quando Ana achou que fazia sentido estar perto de mim, Samara nos ajudou muito. Especialmente no que concerne a minha desmemoriação. Fazia dois meses que eu não a encontrava pessoalmente, tinha sido chamada pela organização em que trabalha para ajudar outra de nós. Mesmo assim, continuamos nos falando pela internet, uma ótima ferramenta para manter amizades — quando você não é como *eu*. Por sorte, Ana conseguia manter contato online e a amizade que antes existia apenas entre mim e Samara acabou por gerar um trio.

— Eu também chamei o Dé, logo ele deve chegar por aí. Espero que com um vinho. Agora vem, vou levar essa mala ridiculamente pesada pro quarto. — E Ana, pequena que era e forte como eu jamais seria, ergueu a mala e a carregou sozinha, deixando Samara boquiaberta:

— Sempre me esqueço que ela é tipo uma ogra — confessou.

— E cada dia mais, só falta ficar verde. — Nós duas observávamos o corredor vazio contemplando a recente presença de Ana. Abracei Samara forte e fomos para a horta colher manjericão para o pesto. No caminho, Amora veio se engraçar conosco e passou um bom tempo perseguindo Sami. Ana estava arrumando o quarto de hóspedes, provavelmente. Ela gostava de fazer a pessoa se sentir num hotel, sempre colocava chocolate no travesseiro e deixava uns óleos essenciais perfumando o ambiente. Uma das coisas mais esquisitas que eu mais amava nela. Enquanto cortava delicadamente os galhinhos e sentia o cheiro característico e pronunciado da planta, Samara se ocupava de olhar a horta, as novas frutas no pé, o que havíamos mudado desde que ela tinha ido embora.

— A casa tá linda, Vic. Vocês todas estão lindas — disse ela acariciando a cabecinha ruiva de Amora. — Mas aparência nem sempre é tudo, então eu preciso perguntar: tá tudo bem?

Levantei da horta com as mãos cheias de manjericão e dei a resposta mais sincera que eu poderia pensar:

— Eu ainda preciso aprender muita coisa e, sim, isso foi uma indireta pra você ficar por aqui — ela gargalhou. — Mas não se preocupa. Nunca está *tudo* bem. Mas o que importa está.

Pelo sorriso que recebi de presente, sabia que Samara estava contente em nos ver daquele jeito. Sei que ela muitas vezes pensou que eu não conseguiria, que nós não conseguiríamos. Estar ali era, para mim, praticamente um sonho. Na verdade, a realidade era melhor do que eu tinha sonhado.

Nos meus mais loucos sonhos eu não tinha imaginado que a felicidade poderia ser tão *simples*. Um jantar com vinho — que André felizmente trouxe —, macarrão ao pesto de manjericão e nozes, de sobremesa uma torta de bolachas que só Samara sabia fazer tão bem; Ana bêbada depois de três taças, sentada no meu colo; eu a observando de perto, muito perto: cada um dos seus trejeitos, franzires de testa, risadas contagiantes; os beijos apaixonados e levemente inapropriados que o vinho nos trouxe; Amora dormindo de barriga cheia no sofá de casa. Simples e feliz. Dois adjetivos que formam um belo casal. Ali, naquele momento, eu percebi que tinha vivenciado a felicidade há muito tempo, mas só hoje tinha maturidade para reconhecê-la e cumprimentá-la. E ainda que tivesse sido um cumprimento tímido, eu disse *Oi, por favor, fica mais*.

    A noite terminou, porém, por mais que me esforce, não me lembro em que ponto. Nós quatro, totalmente inebriados e sem condição de sequer chegarmos até as camas, fomos dormindo pelo meio do caminho: Samara no sofá da sala, André abraçado no vaso sanitário, Ana e eu de conchinha no tapete e, em meio à confusão da cozinha, desafiando a gravidade, uma pequena lagartixa adormeceu no vidro da janela.

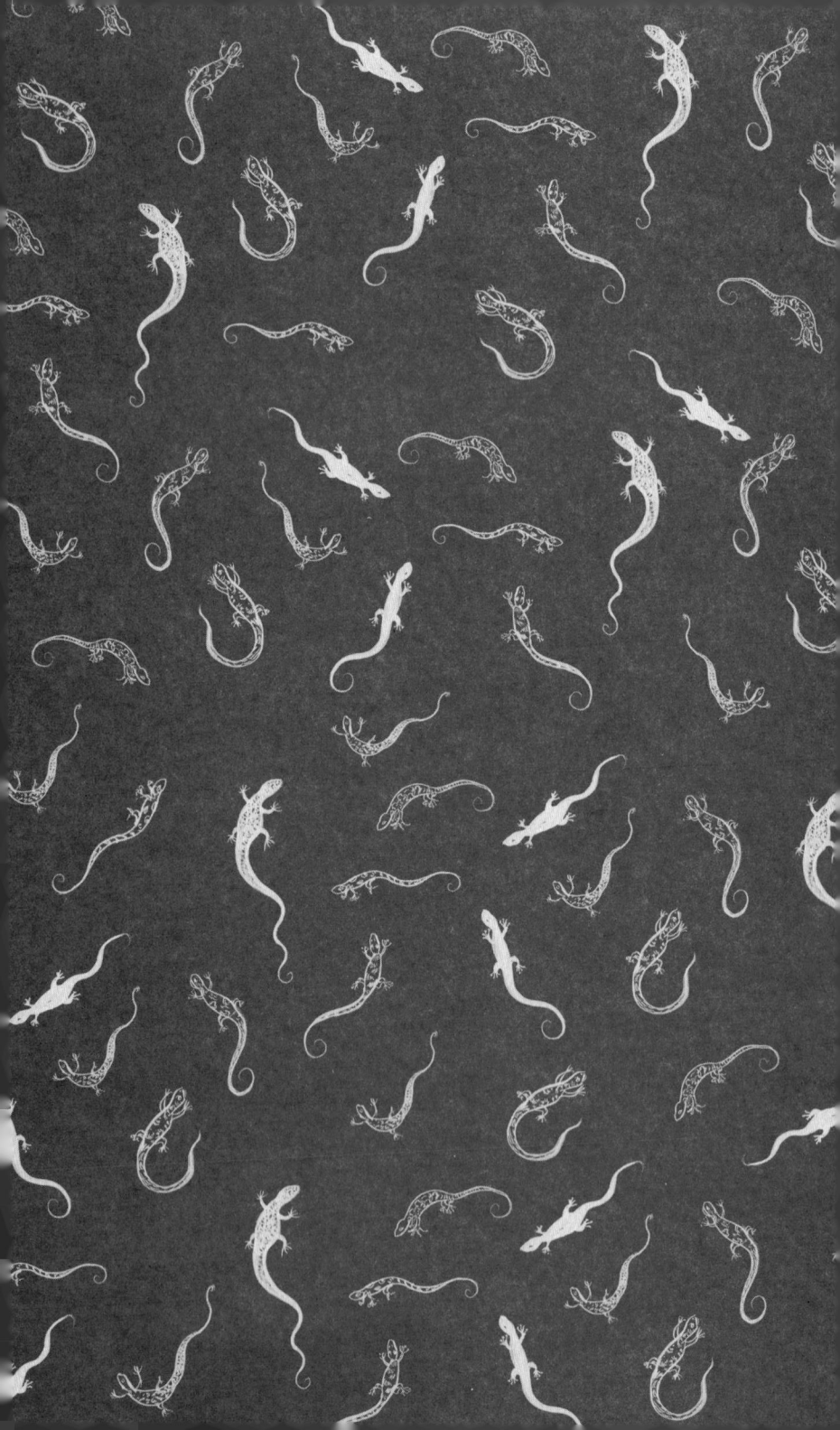